L'ASTRONOME
A M A T E U R

L'ASTRONOME AMATEUR

Carole Stott

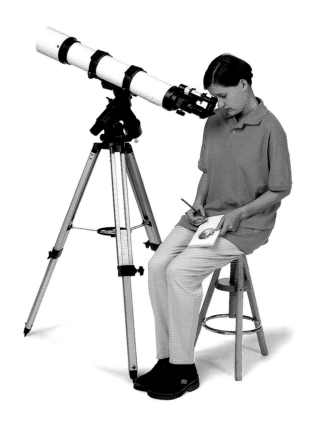

Libre Expression

Édition originale

Titre original : *New Astronomer*
Copyright © 1999
Dorling Kindersley Limited, London
Text copyright © Carole Stott
© Larousse-Bordas, 1999,
pour la traduction française
© Éditions Libre Expression, 2000,
pour l'édition française au Canada

Édition française

TRADUCTION ET ADAPTATION
Jean-Claude Ribes

DIRECTION ÉDITORIALE
Catherine Delprat

ÉDITION
Sylvie Cattaneo-Naves

FABRICATION
Isabelle Goulhot

LECTURE-CORRECTION
Annick Valade
assistée de
Chantal Barbot et Madeleine Biaujeaud

COUVERTURE
Véronique Laporte

RÉALISATION
Octavo Éditions
Préparation des textes : Nathalie Barthès
Mise en page : Barbara Kekus

Note importante
L'observation du Soleil à l'œil nu ou avec un quelconque instrument d'optique sans protection spécifique peut endommager gravement la vue, voire rendre aveugle. L'auteur et l'éditeur déclinent toute responsabilité envers les lecteurs qui ne tiendraient pas compte de cet avertissement.

Éditions Libre Expression
2016, rue Saint-Hubert
Montréal (Québec) H2L 3Z5

ISBN : 2-89111-879-0
Dépôt légal : 2e trimestre 2000

SOMMAIRE

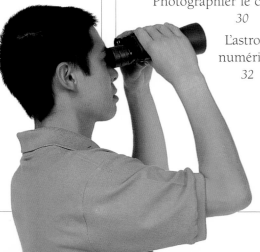

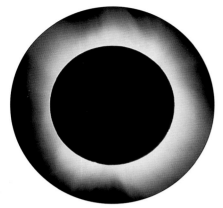

Éclipse de Soleil

La galaxie M 33 dans le Triangle

La planète Saturne

L'amas stellaire des Pléiades

L'amas globulaire M 10 dans Ophiucus

Aurore boréale

Où que nous soyons sur terre, nous pouvons lever les yeux et voir le ciel. Ce ciel change constamment et la vue que nous en avons dépend de notre situation. Ce chapitre explique ce que nous pouvons voir d'un endroit donné, comment cette vision change, et comment les cartes du ciel nous aident à nous repérer.

DÉCOUVRIR *le*
CIEL NOCTURNE

LEVER LES YEUX

Quand nous levons les yeux vers le ciel, nous regardons
immensité de l'espace. Dans toutes les directions se
ressent d'innombrables milliards d'étoiles, des galaxies
ntières remplies d'étoiles, et des nuages de poussières
de gaz, restes d'explosions d'étoiles. Plus près de nous,
otre étoile, le Soleil, fournit lumière et chaleur sur la Terre.

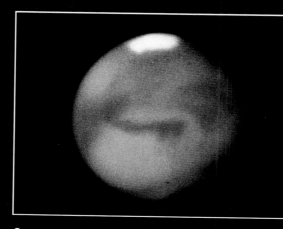

LA VOIE LACTÉE

Par nuit très noire,
on voit une bande
lumineuse qui traverse
le ciel : c'est notre vision
de notre propre galaxie.
Cette dernière contient
tant d'étoiles qu'on dirait
du lait répandu, d'où
son nom de Voie lactée.

LES PLANÈTES

Les planètes ressemblent à des étoiles brillantes dans
le ciel, mais un examen plus approfondi révèle leur
forme de disque. Mars (ci-dessus) est une boule
rocheuse en rotation, avec des calottes polaires et des
taches sombres, visibles de la Terre avec un télescope.

GALAXIES LOINTAINES

Les galaxies sont de vastes ensembles d'étoiles ; elles sont
si éloignées que même la plus proche, la galaxie
d'Andromède, ne nous apparaît que comme
une petite tache lumineuse.
Un télescope montre
la forme ovale de
la galaxie.

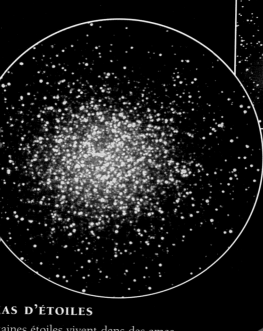

AS D'ÉTOILES

aines étoiles vivent dans des amas
lusieurs milliers d'étoiles. L'amas
essus est composé de vieilles
es qui sont restées groupées
uis leur naissance.

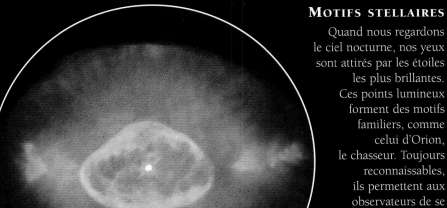

MOTIFS STELLAIRES

Quand nous regardons le ciel nocturne, nos yeux sont attirés par les étoiles les plus brillantes. Ces points lumineux forment des motifs familiers, comme celui d'Orion, le chasseur. Toujours reconnaissables, ils permettent aux observateurs de se repérer dans le ciel.

LA MORT D'UNE ÉTOILE

Chaque étoile est unique, à son propre stade d'évolution. L'étoile ci-dessus a commencé à mourir, et rejette d'énormes coquilles de gaz.

NÉBULEUSE BRILLANTE

Les nébuleuses sont des nuages de gaz et de poussières formés de matière éjectée par les étoiles. Elles produisent de nouvelles étoiles, qui brilleront dans le ciel terrestre dans des millions d'années.

ÉCLIPSE DE SOLEIL

De temps en temps, un événement rare peut être observé dans le ciel diurne : c'est une éclipse de Soleil, qui se produit quand la lumière solaire est bloquée par la Lune.

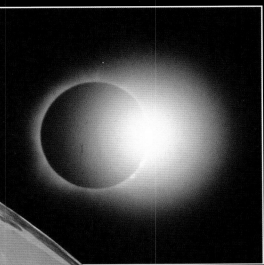

L'OBSERVATOIRE TERRE

Nous pouvons voir des dizaines de milliers d'objets célestes dans le ciel : ils nous paraissent tous à la même distance de la Terre, comme sur un fond plat. En réalité, les objets célestes sont à des distances différentes de la Terre, et à des distances très variables les uns des autres. La vue depuis la Terre est trompeuse également sur la taille et la nature des objets célestes : une galaxie lointaine, qui comprend des milliards d'étoiles, semble de la même taille qu'une simple étoile dans le ciel. Il est facile de confondre les planètes avec des étoiles, et une tache floue peut être plusieurs choses : un amas de milliers d'étoiles, une nébuleuse ou une comète de passage. Avec le temps, il est possible de se familiariser avec de nombreuses sortes d'objets.

LA PLANÈTE TERRE

Quand nous regardons de la Terre vers l'espace, tous les objets du ciel paraissent tourner autour de nous. En réalité, c'est la Terre qui tourne et se déplace dans l'espace.

La Lune
La Lune, l'un des objets célestes les plus petits, semble grande parce qu'elle est l'objet le plus proche de la Terre.

La planète Jupiter
Les planètes sont plus éloignées que la Lune. Depuis la Terre, Jupiter apparaît comme une petite étoile brillante, mais elle est 41 fois plus grande que la Lune. Elle semble petite parce qu'elle est 2 000 fois plus loin.

VOTRE FENÊTRE SUR L'UNIVERS

Tant que le ciel est pur, on peut observer l'espace : de quelque pays que ce soit, dans n'importe quelle direction – nord, sud, est ou ouest –, une fenêtre est ouverte sur l'Univers. Par cette fenêtre, nous pouvons voir des objets très différents en taille et en structure, à des distances très variables de la Terre.

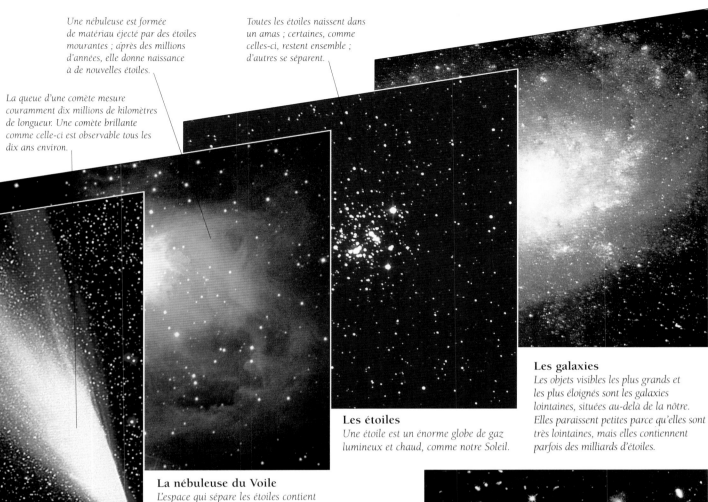

Une nébuleuse est formée de matériau éjecté par des étoiles mourantes ; après des millions d'années, elle donne naissance à de nouvelles étoiles.

Toutes les étoiles naissent dans un amas ; certaines, comme celles-ci, restent ensemble ; d'autres se séparent.

La queue d'une comète mesure couramment dix millions de kilomètres de longueur. Une comète brillante comme celle-ci est observable tous les dix ans environ.

Les galaxies
Les objets visibles les plus grands et les plus éloignés sont les galaxies lointaines, situées au-delà de la nôtre. Elles paraissent petites parce qu'elles sont très lointaines, mais elles contiennent parfois des milliards d'étoiles.

Les étoiles
Une étoile est un énorme globe de gaz lumineux et chaud, comme notre Soleil.

La nébuleuse du Voile
L'espace qui sépare les étoiles contient de gigantesques nuages de gaz et de poussières appelés nébuleuses.

Un seul de ces objets est une étoile, tous les autres sont des galaxies, jamais observées avant 1995.

La comète West
Les comètes sont des boules de neige sales situées aux confins du système solaire, trop petites et trop lointaines pour être visibles. Parfois, une comète s'approche de la Terre : elle apparaît alors comme un objet spectaculaire dans notre ciel.

MESURE DES DISTANCES

Les distances dans le système solaire sont mesurées par radar. Pour les étoiles proches, on utilise la méthode de la parallaxe (à droite) ; une étoile est observée de deux points opposés de l'orbite terrestre, à six mois d'intervalle : son déplacement apparent permet de calculer sa distance. La distance des étoiles plus lointaines est estimée d'après la lumière qu'elles émettent.

Déplacement apparent – parallaxe – de l'étoile

Étoile A

Position de la Terre en juillet

Soleil

Étoile B

Position de la Terre en janvier

Plus l'étoile est éloignée, plus sa parallaxe est petite.

AU-DELÀ DE NOTRE VISION ACTUELLE

Il y a dans l'Univers d'innombrables galaxies que nous n'avons jamais vues. En 1995, le puissant télescope spatial Hubble a observé pendant dix jours une petite zone de ciel d'un trentième du diamètre apparent de la Lune, produisant le cliché ci-dessus. Les astronomes estiment qu'il y a plus de 3 000 galaxies visibles sur cette image.

LE CIEL CHANGEANT

Notre planète natale, la Terre, voyage à travers l'espace : elle tourne sur elle-même en un jour et accomplit une révolution autour du Soleil en un an. Nous ne pouvons pas sentir le mouvement de la Terre, mais nous pouvons nous en rendre compte par le déplacement des astres dans le ciel. Le mouvement quotidien du Soleil nous est évidemment plus familier, mais les étoiles se déplacent aussi dans le ciel au cours de la nuit. Le mouvement annuel de la Terre autour du Soleil se traduit par les changements de position de ce dernier dans le ciel : il est plus haut en été et plus bas en hiver. De même, le déplacement de la Terre dans l'espace fait défiler au-dessus de nos têtes différents motifs stellaires d'un mois à un autre.

Le Soleil monte dans le ciel du matin.

La Terre, vue d'au-dessus du pôle Nord, tourne dans le sens inverse des aiguilles d'une montre.

La rotation quotidienne de la Terre

La Terre tourne sur son axe en 24 heures. Au cours de cette rotation, nous subissons des périodes alternées de jour et de nuit, de lumière et d'obscurité, selon que nous faisons d'abord face au Soleil, puis que nous lui tournons le dos.

23,5°

L'axe reste incliné selon le même angle par rapport à la verticale.

CHANGEMENTS QUOTIDIENS

La Terre tournant sur elle-même en faisant d'abord face au Soleil, celui-ci semble s'élever sur l'horizon est et se déplacer lentement, atteignant son point le plus haut à mi-parcours. La Terre tournant ensuite graduellement le dos au Soleil, il semble se coucher sous l'horizon ouest.

CHANGEMENTS ANNUELS DU CIEL NOCTURNE

La plupart des observateurs autour du monde voient différentes étoiles défiler dans leur ciel au cours de l'année, sauf s'ils se trouvent aux pôles Nord ou Sud. L'ordre de défilement des étoiles se répète d'année en année. Un observateur de l'hémisphère boréal installé en un lieu donné et regardant dans la même direction chaque nuit à la même heure pourra voir comment le ciel change.

Mi-janvier à 22 h 30
Orion (p. 112) est près de l'horizon (à droite). Au cours de la soirée, le Grand Chien (p. 113) et la brillante Sirius traverseront le ciel.

Fin mai à 22 h 30
L'étoile Arcturus (en bas à droite) resplendit dans le Bouvier (p. 120). Le demi-cercle d'étoiles brillantes (à gauche) forme la Couronne boréale (p. 120).

Mi-septembre à 22 h 30
Vers la fin de l'année, le Verseau (p. 108) est visible ; les autres constellations zodiacales apparaîtront tour à tour au cours de l'année.

Le Soleil est au plus haut au milieu de la journée.

La lumière du Soleil illumine le ciel : les étoiles lointaines sont invisibles jusqu'au coucher du Soleil.

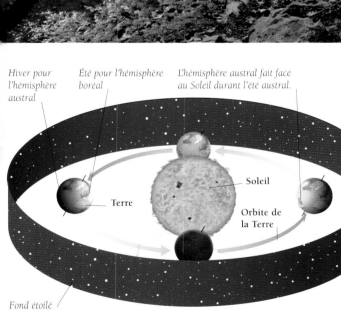

Changement quotidien du ciel nocturne

Les étoiles changent de position au cours de la soirée : nous pouvons noter ces changements, bien que le mouvement ne soit pas perceptible à l'œil. En revanche, sur une photographie à longue pose, le mouvement des étoiles est matérialisé sous forme de traînées lumineuses.

CHANGEMENTS ANNUELS DU CIEL DIURNE

C'est une approximation de dire que le Soleil se lève à l'est et se couche à l'ouest : au cours des saisons, c'est-à-dire de la révolution annuelle de la Terre autour du Soleil, ce dernier se lève et se couche en différents points de l'horizon.

Coucher du Soleil le 6 août
Le Soleil est sur le point de se coucher, en un lieu situé à la latitude de 50° N. Le cliché est pris en direction de l'ouest.

Coucher du Soleil le 7 août
Au même endroit et à la même heure le lendemain, toujours en direction de l'ouest, le Soleil se couche plus au sud.

Coucher du Soleil le 11 août
Au cours de l'été, le Soleil disparaît sous la ligne d'horizon en un point situé de plus en plus vers le sud.

Hiver pour l'hémisphère austral

Été pour l'hémisphère boréal

L'hémisphère austral fait face au Soleil durant l'été austral.

Soleil

Terre

Orbite de la Terre

Fond étoilé

Pourquoi le ciel change au cours de l'année
La Terre accomplit une révolution autour du Soleil en un an. Ainsi, au fur et à mesure du mouvement de la Terre parmi les étoiles, un observateur verra, chaque nuit à la même heure, des étoiles différentes se succéder au fil de l'année.

VOTRE VUE LOCALE

Un observateur terrestre qui regarde l'espace voit
une sphère imaginaire entourant notre planète
(pp. 16-17). D'un point donné de la Terre,
on ne peut voir qu'une partie de cette sphère : bien
que la vue change au cours de l'année, la plupart
des observateurs ne verront jamais la totalité
de la sphère céleste. La partie de la sphère que
vous pouvez observer dépend de votre latitude
terrestre : tous les observateurs situés à la même
latitude autour du monde verront à tour de rôle
le même ciel. Pour avoir la meilleure vue du ciel,
les observateurs ont intérêt à choisir un site
à l'écart des lumières de la ville.

VILLE ET CAMPAGNE

Les objets célestes comme les étoiles et les
planètes sont plus faciles à voir dans un ciel noir,
loin des lumières des rues et des maisons.
Les observateurs ruraux sont les mieux placés,
et un site élevé offre un meilleur point de vue.

Sirius

QUELLES ÉTOILES VOIT-ON ET D'OÙ ?

La portion de sphère céleste visible d'un endroit de la Terre
dépend de la latitude : quand l'observateur se déplace du
nord vers le sud, la partie visible change. Les étoiles de cette
partie de la sphère peuvent être vues au cours de l'année :
elles sont toujours dans le ciel, mais l'observateur ne les voit
que quand elles se trouvent au-dessus de l'horizon la nuit.

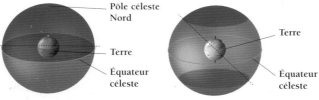

Pôle céleste Nord — Terre — Équateur céleste

Terre — Équateur céleste

Vue du pôle Nord
*Le pôle céleste Nord est au zénith.
Seules les étoiles de la moitié nord
de la sphère sont visibles.*

Vue d'une latitude moyenne
*Les étoiles situées près de votre pôle
céleste sont toujours visibles.
D'autres apparaissent
successivement au cours de l'année.*

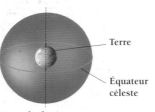

Terre — Équateur céleste

Vue de l'équateur
*L'équateur céleste est au zénith, et
les pôles célestes sont en deux points
opposés de l'horizon. Toutes les étoiles
sont visibles au cours de l'année.*

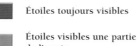

■ Étoiles toujours visibles

■ Étoiles visibles une partie
de l'année

■ Étoiles toujours invisibles

⋯⋯ Horizon

• Position de l'observateur

LATITUDE ET LONGITUDE

Les observateurs sur une même ligne de latitude peuvent se
trouver sur des côtés opposés de la Terre, à des longitudes
différentes, mais ils verront les mêmes étoiles ; par exemple,
un observateur à Flagstaff, en Arizona, verra les mêmes étoiles,
à la même heure locale, qu'un observateur à Tokyo, au Japon,
mais à plusieurs heures d'intervalle.

Arizona, États-Unis, 23 h
*En fin de soirée, la constellation
d'Orion est visible haut sur l'horizon
sud en Arizona.*

Tokyo, Japon, 23 h
*Plusieurs heures plus tard, en fin de
soirée au Japon, on peut voir Orion
haut sur l'horizon.*

Sirius

En ville

Le ciel au-dessus d'une ville éclairée n'est jamais vraiment noir, mais on peut voir les étoiles brillantes et les planètes. Les étoiles lumineuses marquant en général la forme des constellations, la ville est un bon endroit pour apprendre ces formes stellaires de base.

À la campagne

C'est à la campagne, loin de l'éclairage artificiel, que le ciel est le plus sombre. On peut y voir des étoiles brillantes et des étoiles de faible éclat, alors qu'en ville seules les plus brillantes sont visibles : en pratique, un observateur verra environ 300 étoiles en ville, contre quelque 3 500 à la campagne.

AMÉLIOREZ VOTRE VISION

Trouvez les périodes où votre ciel est sombre en utilisant les heures de lever et de coucher du Soleil (p. 136) en fonction de la latitude. À l'œil nu, vous pouvez voir des centaines d'étoiles dans un ciel noir, mais les objets moins lumineux sont plus difficiles à observer. La vision périphérique est alors utile : ne regardez pas directement l'objet, mais légèrement à côté ; son image apparaîtra soudain, formée sur le bord plus sensible de la rétine.

Méthodes d'observation

Les symboles ci-dessous figurent dans tout l'ouvrage. Placés à côté d'une photo, ils indiquent comment obtenir une telle image ; dans une liste, ils indiquent la meilleure façon d'observer un objet donné.

 Œil nu

 Jumelles

 Télescope

 Caméra CCD

Utiliser des jumelles

Avec des jumelles, on peut voir 43 000 étoiles. Apparaissent aussi les montagnes et les cratères de la Lune, les amas stellaires, les nébuleuses et les galaxies.

Asseyez-vous pour être plus stable.

MOUVEMENT NOCTURNE DES ÉTOILES

La latitude d'observation détermine quelle partie de la sphère céleste est visible et comment les étoiles se déplacent dans le ciel. L'identité du pôle céleste (Nord ou Sud) et sa position dans le ciel déterminent le mouvement des étoiles. La hauteur du pôle céleste dans votre ciel est égale à votre latitude : par exemple, à la latitude 35° N., le pôle céleste Nord se trouve à 35° au-dessus de l'horizon nord.

Mouvement des étoiles aux latitudes moyennes

Les étoiles tournent autour du pôle céleste Nord ou Sud, selon l'hémisphère où l'on se trouve. Une photographie à longue pose enregistre une traînée lumineuse pour chaque étoile.

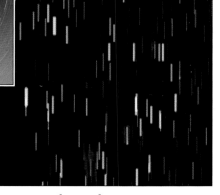

Vue des latitudes moyennes

Certaines étoiles tournent autour du pôle céleste ; d'autres s'élèvent au-dessus de l'horizon, traversent le ciel et se couchent à l'horizon opposé.

Vue du pôle Nord

Les étoiles tournent au-dessus de l'observateur. Au pôle Sud, un autre observateur verra les étoiles tourner en sens inverse.

Vue de l'équateur

Les étoiles traversent le ciel au-dessus de la tête de l'observateur. Elles se lèvent sur l'horizon est et se couchent sur l'horizon ouest.

Mouvement des étoiles à l'équateur

La lumière de chaque étoile forme un trait rectiligne sur une photographie à longue pose. Les traits pointent vers l'horizon, où les étoiles finiront par se coucher.

CARTOGRAPHIER LE CIEL

Une carte du ciel est un outil essentiel pour les astronomes, non seulement pour les débutants, mais aussi pour les observateurs expérimentés. Comme une carte terrestre nous aide à nous diriger sur terre, une carte céleste nous aide à naviguer dans le ciel et à y trouver tel ou tel objet. Toutes les cartes du ciel sont basées sur la notion de sphère céleste, une sphère imaginaire qui entoure complètement la Terre. Les étoiles paraissent fixées à l'intérieur de cette sphère, gardant leurs positions relatives en traversant le ciel au cours de la nuit. Bien que la sphère céleste soit une illusion, elle est utile pour construire les cartes du ciel nocturne.

La déclinaison se mesure au nord ou au sud de l'équateur.

L'équateur céleste équivaut à l'équateur terrestre, partageant la sphère en deux hémisphères.

Les déclinaisons au sud de l'équateur ont une valeur négative. Cette ligne correspond à δ = − 20°, ou 20° S.

LES COORDONNÉES CÉLESTES

Ces coordonnées, l'ascension droite (α) et la déclinaison (δ), jouent le même rôle que la longitude et la latitude terrestres pour préciser la position d'une étoile ou d'une planète sur la sphère. Les valeurs de α vont de 0 à 24 heures ; celles de δ, de 90° Nord à 90° Sud, en passant par 0°.

On voit ici la moitié nord de la sphère céleste.

Une heure en α vaut 15° de rotation.

Équateur céleste

La position de cette étoile est $\delta = 45°$ et $\alpha = 2$ heures.

δ est mesuré en degrés au nord de l'équateur.

α est mesuré en heures et minutes le long de l'équateur.

90°
60°
30°
12 h
18 h
6 h
2 h
0 h

LA SPHÈRE CÉLESTE

Une sphère imaginaire entourant la Terre sert de base à toutes les cartes célestes. Un réseau de lignes et un système de coordonnées aident les observateurs à repérer des objets sur la sphère, et donc dans le ciel.

MAGNITUDE STELLAIRE

Les étoiles que nous voyons dans le ciel n'ont pas toutes la même luminosité. Les astronomes utilisent une échelle, la magnitude, pour représenter la luminosité d'une étoile, vue de la Terre. Il s'agit de magnitude apparente, et non de la luminosité intrinsèque de l'étoile. Sur les cartes stellaires, on affecte une magnitude à chaque étoile ; plus le chiffre est élevé, moins l'étoile est lumineuse. Les étoiles plus brillantes que la magnitude 1 reçoivent un chiffre nul ou négatif. Par exemple, l'étoile la plus brillante du ciel, Sirius, est de magnitude − 1,46. Les astronomes utilisent aussi l'échelle de magnitude pour d'autres objets. La Pleine Lune est de magnitude − 12,5, et la planète Vénus à son maximum est de magnitude − 4,4.

Les étoiles de magnitude inférieure ou égale à 6 sont visibles à l'œil nu.

Cette étoile de magnitude 3,1 a un cercle plus grand que les étoiles moins lumineuses du carré.

Cette étoile de magnitude 5,3 a un cercle plus petit que l'étoile plus brillante au-dessus à gauche.

Étoiles de la constellation d'Hercule
Ce cliché montre les étoiles jusqu'à la magnitude 10. Les plus faibles, invisibles à l'œil nu, sont visibles avec des jumelles.

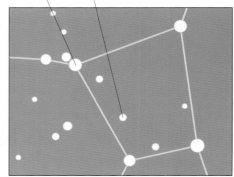

Carte d'une partie d'Hercule
Les cercles sur les cartes indiquent la magnitude des étoiles ; ils représentent le nombre entier le plus proche dans l'échelle de magnitude.

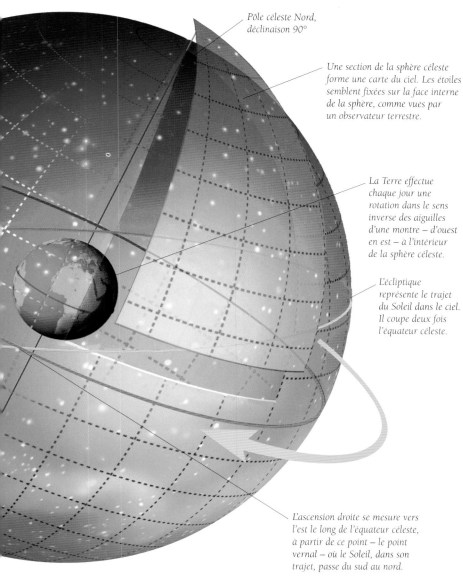

Pôle céleste Nord,
déclinaison 90°

Une section de la sphère céleste
forme une carte du ciel. Les étoiles
semblent fixées sur la face interne
de la sphère, comme vues par
un observateur terrestre.

La Terre effectue
chaque jour une
rotation dans le sens
inverse des aiguilles
d'une montre – d'ouest
en est – à l'intérieur
de la sphère céleste.

L'écliptique
représente le trajet
du Soleil dans le ciel.
Il coupe deux fois
l'équateur céleste.

L'ascension droite se mesure vers
l'est le long de l'équateur céleste,
à partir de ce point – le point
vernal – où le Soleil, dans son
trajet, passe du sud au nord.

CARTES DU CIEL

On fabrique les cartes du ciel en divisant
la sphère céleste en sections standards
qu'on aplatit pour en faire un jeu de cartes
planes. On divise généralement la sphère
en cartes polaires (Nord et Sud)
et équatoriales.

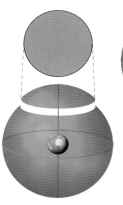

Carte polaire Nord
*Cette carte, centrée
sur le pôle céleste Nord,
va de 50° N. à 90° N.*

Carte polaire Sud
*Cette carte, centrée
sur le pôle céleste Sud,
va de 50° S. à 90° S.*

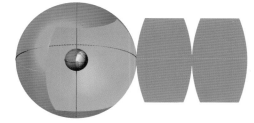

Cartes équatoriales
*Une large bande de part et d'autre de l'équateur
peut être divisée en cartes séparées montrant
les étoiles visibles au cours de l'année.*

AUTRES CARTES

Les cartes stellaires diffèrent selon
le nombre d'objets qu'elles incluent
et les détails qu'elles donnent.
Certaines montrent des étoiles
de très faible luminosité ou
d'un type particulier. Des
catalogues d'étoiles donnant
leurs coordonnées célestes sont
disponibles sur papier ou sur support
informatique, et sont indispensables pour
utiliser un télescope équatorial (pp. 26-27).

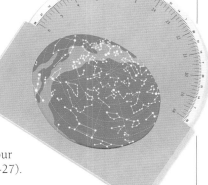

Cartes sur ordinateur
*Des cartes du ciel sont disponibles sur
ordinateur. Certaines comportent des repères
terrestres et montrent le ciel pour une date
et une heure données ; d'autres montrent
la progression des objets sur le fond étoilé.*

Planisphère
*Un planisphère est un
outil de base pour l'astronome
amateur comme pour le
professionnel. Voir pp. 22-23 comment utiliser
le planisphère qui accompagne ce livre.*

DE NOMBREUX OBJETS DU CIEL NOCTURNE
SONT VISIBLES À L'ŒIL NU, MAIS LES
INSTRUMENTS D'OPTIQUE AMÉLIORENT NOTRE
VISION. CE CHAPITRE PRÉSENTE LE PLANISPHÈRE,
EXPLIQUE CE QUE SONT LES JUMELLES,
LES TÉLESCOPES ET LES MONTAGES CCD,
ET COMMENT PHOTOGRAPHIER LE CIEL.

OUTILS *et* TECHNIQUES
de L'ASTRONOMIE

L'ÉQUIPEMENT DE BASE

L'observation du ciel est l'un des passe-temps les plus faciles à pratiquer : attendez simplement la nuit, sortez et regardez le ciel. Vous n'avez pas besoin d'équipement spécial, mais de vêtements chauds et confortables, car il faut du temps pour s'habituer au ciel nocturne et, même en été, les soirées sont parfois fraîches, surtout si vous restez immobiles plusieurs heures.

Carnet d'observation

Gardez une trace de ce que vous voyez : notez la position d'un objet, l'heure, le lieu, les conditions d'observation, et tout autre détail que vous jugez intéressant. Des schémas sommaires enrichiront vos notes et vous aideront à garder le souvenir d'un objet.

Un carnet à spirale s'ouvre bien à plat.

CE QU'IL VOUS FAUT

Avant de sortir pour observer le ciel nocturne, assurez-vous d'emporter tout le nécessaire avec vous, pour éviter d'avoir à rentrer quand vos yeux seront habitués à l'obscurité : des vêtements adéquats, un siège, à manger et à boire, des jumelles, des cartes stellaires et un carnet de notes.

Adaptation à l'obscurité

Au bout de 30 minutes environ, vos yeux seront complètement habitués à l'obscurité et vous verrez bien mieux qu'au début. Toutefois, vous aurez du mal à lire le planisphère et les cartes : utilisez une lampe de poche couverte de Cellophane rouge pour atténuer la lumière en préservant ainsi votre vision nocturne.

De la Cellophane rouge atténue la lumière de la lampe de poche.

On voit des milliers d'étoiles avec des jumelles standards (p. 25).

Portez des vêtements chauds pour observer : les nuits noires et pures sont parfois fraîches.

Utilisez les cartes des constellations (pp. 98-133) pour localiser des objets comme les étoiles brillantes.

Une boussole vous aidera à trouver les orientations.

Trouver l'orientation

Une boussole est essentielle pour se repérer, surtout dans un environnement inhabituel. On peut l'utiliser avec le planisphère pour trouver des étoiles dans le ciel.

Un bonnet protège la tête du froid.

Utilisez le planisphère pour repérer les constellations et les étoiles brillantes.

MESURER LES DISTANCES DANS LE CIEL

Quand vous avez réglé votre planisphère (pp. 22-23) et identifié l'étoile ou la constellation que vous voulez trouver dans le ciel, vous pouvez utiliser vos bras et votre corps comme instruments de mesure simples pour estimer la hauteur et la direction d'un objet dans le ciel.

Horizon

Mesurer une hauteur : 90°
Le planisphère vous dira à combien de degrés une étoile se trouve au-dessus de l'horizon. L'angle de 90° est facile à mesurer avec vos deux bras tendus, en vous alignant sur l'horizon.

Horizon

Mesurer une hauteur : 45°
Vous pouvez trouver l'angle de 45° au-dessus de l'horizon en levant un bras pour diviser en deux l'angle de 90°. Avec l'habitude, vous apprendrez à diviser 90° en différents angles, par exemple de 30°.

Mesurer une direction : 90°
Le planisphère vous donnera l'azimut d'une étoile. Étendez les bras de manière à former un angle de 90° avec un bras vers le nord ou le sud pour référence.

Mesurer une direction : 45°
Pour trouver une étoile au sud-est, par exemple, divisez en deux l'angle de 90° en bougeant un bras. Combinez angle de direction, angle de hauteur (ci-dessus) et mesure manuelle (ci-dessous) pour localiser un objet dans le ciel.

Largeur d'un doigt
Un doigt à bras tendu couvre à peu près 1°, et permet de mesurer de petites distances entre étoiles.

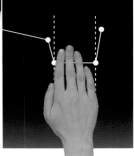

Une main fermée
La distance couverte par une main aux doigts joints est d'environ 10°, la largeur du Chariot (p. 98).

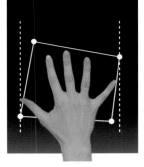

Une main ouverte
Une main aux doigts écartés couvre environ 20° de ciel, un peu plus que le Grand Carré de Pégase (p. 128).

LE PLANISPHÈRE

Un planisphère est une carte plate et circulaire des étoiles, placée dans un étui. On peut régler le planisphère pour qu'il montre les étoiles visibles d'un endroit donné de la Terre, à une époque donnée. En découpant une fenêtre dans l'étui et en y plaçant la carte de façon à voir l'hémisphère céleste qui vous concerne, vous adaptez le planisphère à votre position géographique. Quand le planisphère est réglé, la fenêtre montre les étoiles visibles dans le ciel au-dessus de vous.

ASSEMBLAGE DE VOTRE PLANISPHÈRE

Vérifiez dans un atlas la latitude de votre point d'observation. Plusieurs lignes de latitude figurent sur la face interne de l'étui du planisphère ; choisissez celle qui est le plus proche de votre latitude : par exemple, les observateurs de Chicago, aux États-Unis, choisiront la ligne 40° N., ceux de Sydney, en Australie, la ligne 35° S.

1 Découpage de la latitude
Posez l'étui sur une surface plate, la face interne au-dessus. Découpez avec soin selon la ligne de latitude adéquate jusqu'à ce que la fenêtre apparaisse.

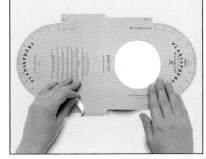

2 Préparation des rabats
Retournez l'étui et enlevez les bandes protectrices des rabats sur chaque côté. Retournez de nouveau l'étui, face interne dessus.

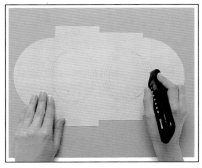

3 Pliage et collage
Repliez les rabats vers le centre de la face interne. Pliez en deux l'étui et appuyez fortement sur les côtés pour coller les rabats.

4 Insertion de la carte stellaire
Insérez la carte stellaire, en vous assurant que c'est bien celle de votre hémisphère qui apparaît dans la fenêtre. Votre planisphère est prêt.

LE PLANISPHÈRE TERMINÉ
Toutes les parties ont été découpées et assemblées, et le planisphère est réglé pour 21 h le 13 septembre.

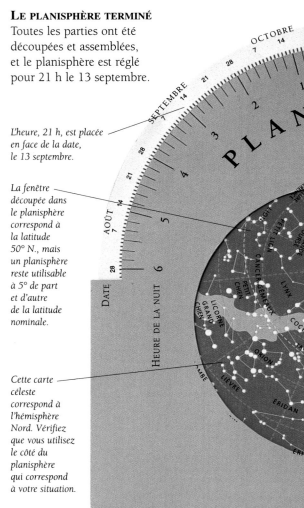

L'heure, 21 h, est placée en face de la date, le 13 septembre.

La fenêtre découpée dans le planisphère correspond à la latitude 50° N., mais un planisphère reste utilisable à 5° de part et d'autre de la latitude nominale.

Cette carte céleste correspond à l'hémisphère Nord. Vérifiez que vous utilisez le côté du planisphère qui correspond à votre situation.

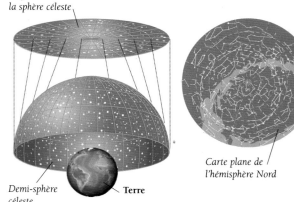

Projection de la sphère céleste

Demi-sphère céleste

Terre

Carte plane de l'hémisphère Nord

CARTE DE L'HÉMISPHÈRE NORD
Ce planisphère est une projection plane d'un peu plus de la moitié de la sphère céleste (pp. 16-17). La carte de l'hémisphère Nord va de δ = 60° S. au bord à 90° N. au centre.

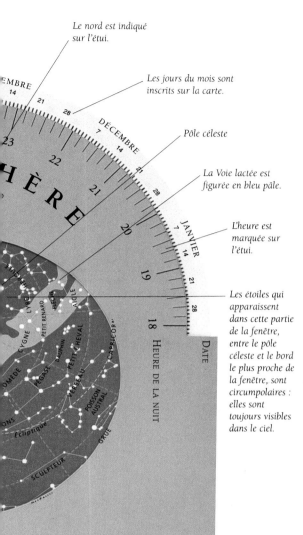

*Le nord est indiqué
sur l'étui.*

*Les jours du mois sont
inscrits sur la carte.*

Pôle céleste

*La Voie lactée est
figurée en bleu pâle.*

*L'heure est
marquée sur
l'étui.*

*Les étoiles qui
apparaissent
dans cette partie
de la fenêtre,
entre le pôle
céleste et le bord
le plus proche de
la fenêtre, sont
circumpolaires :
elles sont
toujours visibles
dans le ciel.*

RÉGLAGE DE VOTRE PLANISPHÈRE

Localisez l'heure d'observation sur l'étui, et
la date sur la carte, puis tournez la carte
pour aligner ces deux valeurs. Le planisphère
utilise l'heure locale (pp. 136-137) :
vous devrez donc tenir compte
de l'heure d'été. Les étoiles qui
sont au-dessus de l'horizon apparaissent dans
la fenêtre.

*Tournez la carte
dans l'étui.*

*Les points cardinaux
vous aident à orienter la
carte par rapport au ciel.*

*Le bord de la fenêtre
correspond à votre horizon.*

UTILISATION DU PLANISPHÈRE

La carte céleste du planisphère représente la voûte céleste au-dessus de votre
tête, en face de vous, derrière vous et de chaque côté. Pour vous orienter,
pointez la flèche nord vers l'horizon nord si vous êtes dans l'hémisphère Nord,
et la flèche sud vers l'horizon sud si vous êtes dans l'hémisphère Sud.

Étape 1
*Tenez le planisphère devant
vous, la voûte dirigée vers
le bas. Les étoiles situées
vers le bord de la fenêtre
devraient être visibles
près de votre horizon.*

Étape 2
*Levez le planisphère. Les
étoiles situées haut dans le ciel
sont près du centre de la carte
stellaire. Retournez-vous.*

Étape 3
*Renversez le planisphère,
la voûte dirigée vers
le haut. Les étoiles situées
près de votre horizon
se trouvent près du bord
de la fenêtre.*

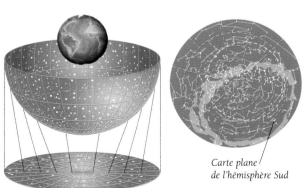

*Carte plane
de l'hémisphère Sud*

CARTE DE L'HÉMISPHÈRE SUD

Ce planisphère est une projection plane d'un peu
plus de la moitié de la sphère céleste (pp. 16-17).
La carte de l'hémisphère Sud va de δ = 60° N.
au bord à 90° S. au centre.

LES JUMELLES

Les jumelles sont formées de deux lunettes de faible puissance assemblées en un seul instrument. Elles constituent l'outil le plus pratique pour l'observateur débutant ou expérimenté, car elles sont portables et faciles à utiliser, et d'un bon rapport qualité-prix. Elles permettent de voir à l'endroit et des deux yeux, alors qu'un télescope s'utilise d'un œil et renverse les images. Les jumelles ont un faible grossissement et un grand champ de vision, ce qui les rend idéales pour la vision globale de la Lune (pp. 64-65), l'exploration de la Voie lactée et l'observation des amas d'étoiles ouverts ou globulaires.

JUMELLES COMPACTES

Ces jumelles de poche, pratiques, sont faciles à transporter et à utiliser, mais mal adaptées à l'astronomie parce que leurs objectifs sont relativement petits. Elles collectent donc moins de lumière, et vous ne verrez pas aussi bien qu'avec des jumelles standards.

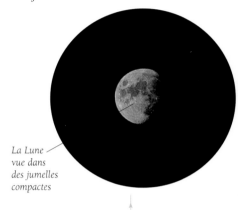

La Lune vue dans des jumelles compactes

OBSERVER AVEC DES JUMELLES

Les jumelles améliorent votre vision parce qu'elles collectent plus de lumière que l'œil humain. L'utilisation d'une paire de jumelles augmente le nombre d'objets que vous pouvez voir dans le ciel nocturne ainsi que leur netteté. Avec une paire de jumelles standards, vous pouvez voir 200 fois plus d'étoiles qu'à l'œil nu.

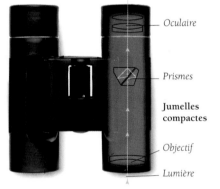

Oculaire

Prismes

Jumelles compactes

Objectif

Lumière

Jupiter et ses lunes

Avec des jumelles, on peut observer des planètes comme Jupiter, qui, d'étoile dans le ciel, se transforme alors en une planète en forme de disque. Avec une paire de jumelles standards, on distingue les quatre lunes galiléennes de Jupiter.

La comète Hale-Bopp

Cette comète spectaculaire est passée près de la Terre en 1997, et est restée visible une grande partie de l'année. Elle apparaissait à l'œil nu comme une tache floue, mais des jumelles donnaient une meilleure vue de sa coma brillante et de sa queue.

JUMELLES STANDARDS

Des jumelles standards sont adéquates pour admirer le ciel. Leurs grands objectifs sont bien adaptés à l'observation des objets peu lumineux, et elles sont encore assez légères pour être emportées partout. On trouve diverses combinaisons de taille, mais un objectif de 50 mm avec un grossissement de 7 est idéal pour l'astronomie courante. Gardez toujours la courroie autour du cou pour éviter la chute des jumelles.

JUMELLES GÉANTES

Les astronomes chevronnés utilisent des jumelles dotées d'objectifs de 70 mm ou plus, et des grossissements de 15 à 20. Un grand objectif permet de voir plus d'étoiles, mais l'augmentation de poids constitue un inconvénient : les grosses jumelles sont trop lourdes pour être tenues en main et doivent être fixées sur un trépied pour une utilisation efficace.

La nébuleuse du Lagon vue dans des jumelles géantes

L'amas stellaire des Pléiades vu dans des jumelles standards

L'œilleton en caoutchouc peut être replié si vous portez des lunettes.

Oculaire

Jumelles standards

Prismes

Objectif

La lumière pénètre.

Jumelles géantes

Oculaire

Objectif

Poignée pour orienter les jumelles

Trépied

CHOISIR DES JUMELLES

Outre les critères listés ci-dessous, deux autres facteurs doivent orienter votre choix : d'abord le grossissement, puis le diamètre des objectifs. Par exemple, 7 x 50 indique un grossissement de 7 et un diamètre d'objectif de 50 mm. Plus l'objectif est grand, plus il collecte de lumière, et plus on voit d'étoiles.

TYPE	AVANTAGES	INCONVÉNIENTS
Compactes	• Petite taille • Faciles à tenir • Portables	• Petit objectif • Image astronomique médiocre • Les meilleurs modèles sont chers
Standards	• Portables • Rapport qualité-prix • Image nette, brillante	• Permettent de localiser beaucoup d'objets, mais pas au-delà de la magnitude 11
Géantes	• Fort grossissement pour étude détaillée • Bonnes pour la Lune et les planètes	• Grosses et lourdes • Support indispensable • Inadaptées à l'observation d'objets terrestres

---

POUR STABILISER VOS JUMELLES

Quelle que soit la taille de vos jumelles, il n'est pas facile de les stabiliser, car le corps tend à osciller pendant l'observation. Si vous vous asseyez dans une chaise longue, votre corps cessera de bouger. Vous pouvez aussi appuyer vos coudes sur une surface stable et solide, sur un mur ou un rebord de fenêtre par exemple ; vous pouvez aussi vous appuyer sur vos genoux, pour mieux supporter le poids des jumelles. Vous obtiendrez ainsi une image stable que vous pourrez observer plus longtemps.

LES TÉLESCOPES

Les télescopes font apparaître les objets peu lumineux plus brillants et plus grands qu'à l'œil nu : ils collectent davantage de lumière et grossissent l'image d'un objet, permettant de voir plus de détails. Il existe deux types principaux de télescopes : les réfracteurs et les réflecteurs (en français, on appelle généralement « lunettes » les réfracteurs, et « télescopes » les réflecteurs). Les deux types renversent les images, ce qui n'est pas gênant en astronomie.

LUNETTES (RÉFRACTEURS)

Une lunette comporte une lentille primaire, l'objectif, à l'extrémité d'un tube ; cette lentille collecte et concentre la lumière. À l'autre extrémité du tube se trouve l'oculaire. L'oculaire de la lunette ci-dessous est muni d'un prisme, permettant une observation plus confortable. Les lunettes donnent des images très nettes.

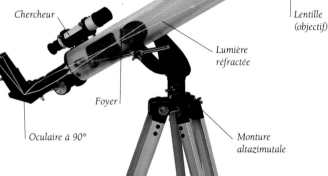

La lumière entre.

Lentille (objectif)

Lumière réfractée

Chercheur

Foyer

Oculaire à 90°

Monture altazimutale

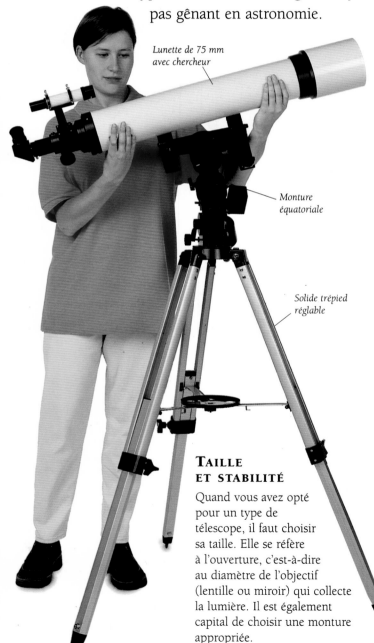

Lunette de 75 mm avec chercheur

Monture équatoriale

Solide trépied réglable

TAILLE ET STABILITÉ

Quand vous avez opté pour un type de télescope, il faut choisir sa taille. Elle se réfère à l'ouverture, c'est-à-dire au diamètre de l'objectif (lentille ou miroir) qui collecte la lumière. Il est également capital de choisir une monture appropriée.

MONTURES DE TÉLESCOPE

Elles sont de deux types : altazimutal et équatorial. Une monture altazimutale doit être réglée manuellement en permanence pour garder un objet en vue, alors qu'une monture équatoriale peut être équipée d'un entraînement pour le suivi automatique des objets.

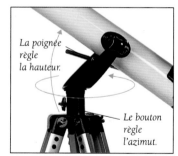

La poignée règle la hauteur.

Le bouton règle l'azimut.

Monture altazimutale
Cette monture permet des mouvements horizontaux (en azimut) et verticaux (en hauteur).

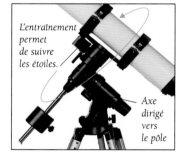

L'entraînement permet de suivre les étoiles.

Axe dirigé vers le pôle

Monture équatoriale
Cette monture permet des mouvements sur deux axes liés à l'équateur céleste.

TÉLESCOPES À ENVISAGER

- **Lunette de 75 mm** Bonne pour observer la Lune, les planètes et les étoiles doubles.
- **Télescope de 100 mm** Équivalant à la lunette de 75 mm, avec une moins bonne définition.
- **Télescope de 150 mm** Bon instrument universel pour le système solaire et les objets du ciel profond. La taille minimale pour observer sérieusement.
- **Schmidt-Cassegrain de 200 mm** Bon instrument universel et portable.

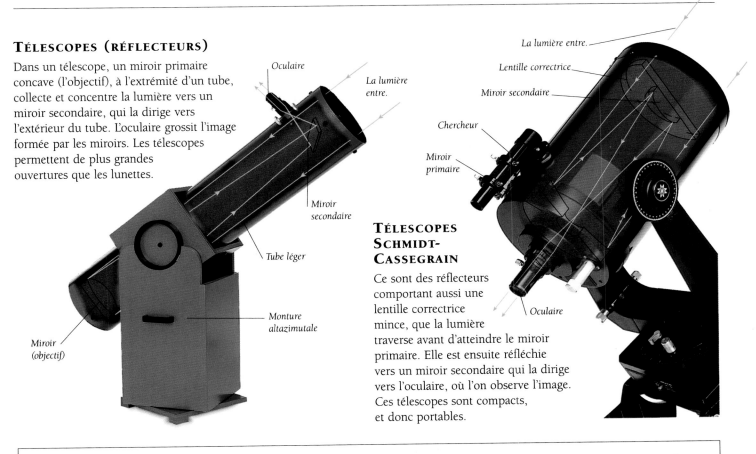

TÉLESCOPES (RÉFLECTEURS)

Dans un télescope, un miroir primaire concave (l'objectif), à l'extrémité d'un tube, collecte et concentre la lumière vers un miroir secondaire, qui la dirige vers l'extérieur du tube. L'oculaire grossit l'image formée par les miroirs. Les télescopes permettent de plus grandes ouvertures que les lunettes.

Oculaire

La lumière entre.

Miroir secondaire

Tube léger

Monture altazimutale

Miroir (objectif)

La lumière entre.

Lentille correctrice

Miroir secondaire

Chercheur

Miroir primaire

Oculaire

TÉLESCOPES SCHMIDT-CASSEGRAIN

Ce sont des réflecteurs comportant aussi une lentille correctrice mince, que la lumière traverse avant d'atteindre le miroir primaire. Elle est ensuite réfléchie vers un miroir secondaire qui la dirige vers l'oculaire, où l'on observe l'image. Ces télescopes sont compacts, et donc portables.

OCULAIRES ET LENTILLES

L'objectif (lentille ou miroir) d'un télescope collecte la lumière et la concentre pour former une image ; on observe cette dernière à travers l'oculaire, qui la grossit. Quand vous achetez un télescope, il est généralement muni de plusieurs oculaires. Le grossissement dépend de la distance focale de l'oculaire, comparée à celle du télescope. D'autres oculaires remplissent des fonctions particulières, telles que renverser l'image ou élargir le champ de vision. On peut ajouter des lentilles spéciales, les lentilles de Barlow, pour augmenter le grossissement.

Côté œil

Côté télescope

Oculaire

Lentille de Barlow

Types d'oculaires
Les oculaires sont des loupes de haute qualité. Une lentille de Barlow placée entre l'oculaire et le télescope augmente le grossissement.

Image normale

Lentille de Barlow variable

Image à grand champ

Oculaire à grand champ
Un tel oculaire donne un champ de vision plus grand qu'un oculaire normal. Il est utile pour l'observation des amas stellaires.

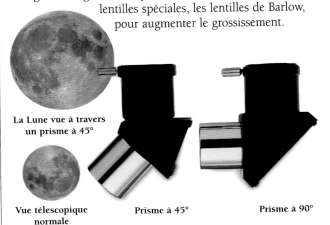

La Lune vue à travers un prisme à 45°

Vue télescopique normale

La Lune vue à travers un prisme à 90°

Prisme à 45°

Prisme à 90°

Prismes diagonaux
Les images télescopiques sont renversées. Un prisme diagonal à 45°, adapté à l'oculaire, remettra l'image à l'endroit. Un prisme à 90° retourne l'image, mais il inverse aussi la droite et la gauche.

UTILISER UN TÉLESCOPE

Si vous possédez un télescope à monture altazimutale (pp. 26-27), vous n'avez qu'à monter l'instrument et commencer à observer. Mais, dans le cas d'un télescope équatorial à entraînement, vous devrez maîtriser un certain nombre de choses avant de tirer le meilleur profit de votre instrument. On décrit ici les étapes de mise en station d'un télescope équatorial à entraînement automatique, et de recherche d'un objet. Le réglage de la latitude et le pointage vers le pôle ne sont à effectuer qu'une fois, sauf si le télescope est transporté sous une autre latitude. Les autres opérations devront être répétées chaque fois que vous utiliserez l'instrument pour trouver et observer un objet donné dans le ciel. Quand vous les aurez effectuées plusieurs fois, elles deviendront une seconde nature.

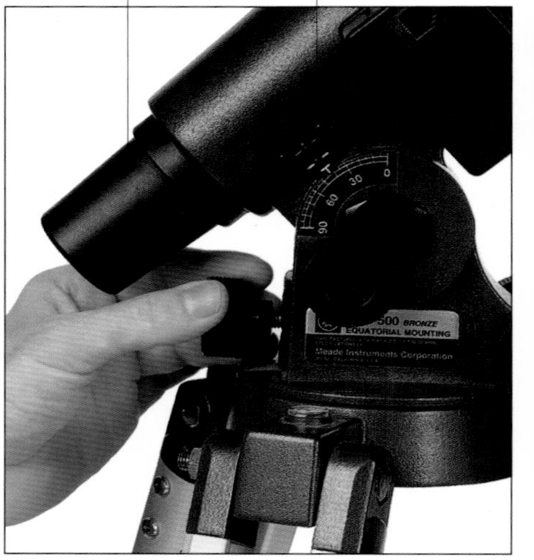

Axe polaire *Échelle de latitude*

**1 Réglage de la latitude
et pointage du pôle**
*Réglez la latitude pour le lieu où
le télescope sera utilisé. Dirigez
l'axe polaire du télescope vers
le pôle céleste Nord ou Sud,
selon l'hémisphère où
vous vous trouvez.*

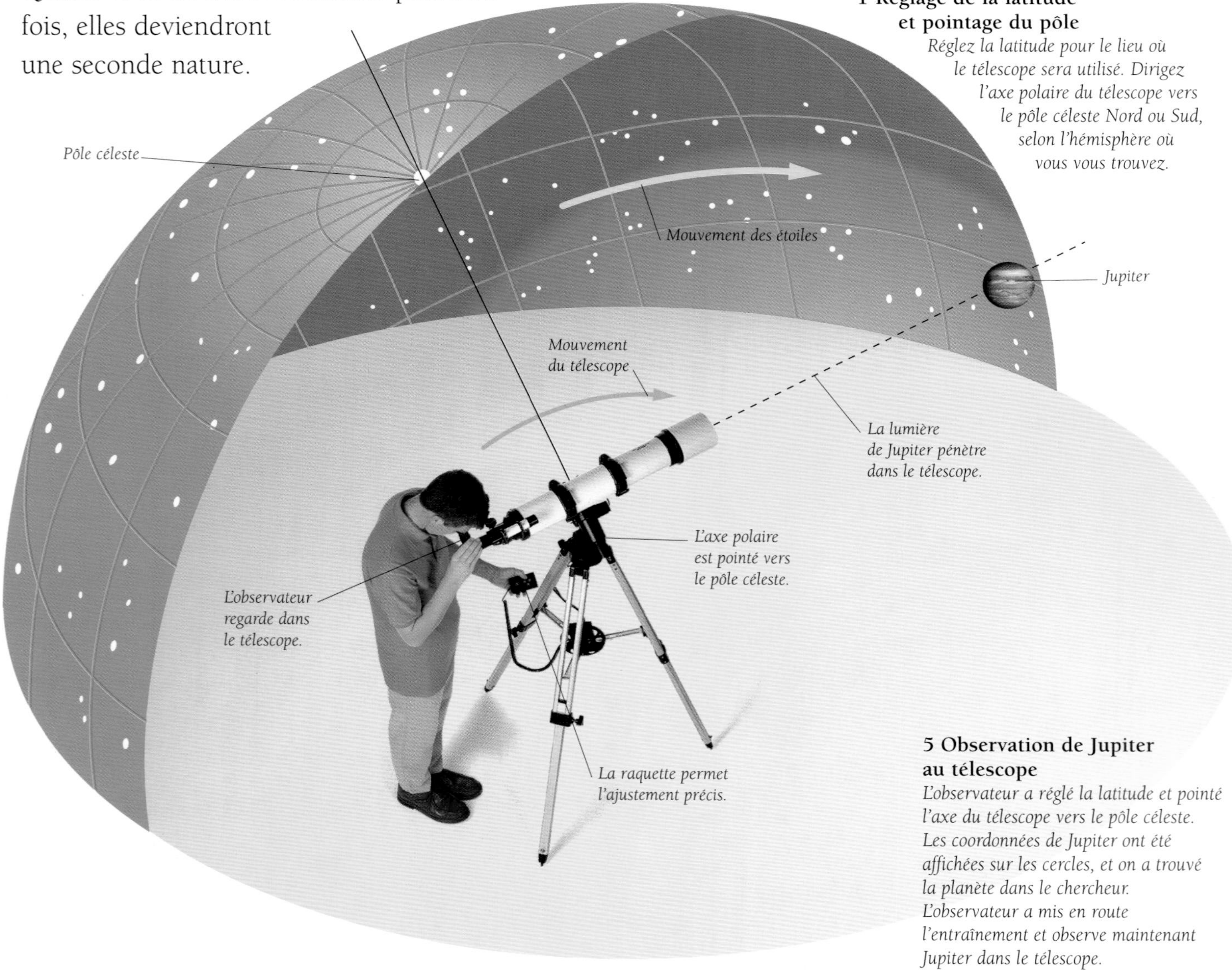

Pôle céleste

Mouvement des étoiles

Jupiter

Mouvement
du télescope

La lumière
de Jupiter pénètre
dans le télescope.

L'axe polaire
est pointé vers
le pôle céleste.

L'observateur
regarde dans
le télescope.

La raquette permet
l'ajustement précis.

**5 Observation de Jupiter
au télescope**
*L'observateur a réglé la latitude et pointé
l'axe du télescope vers le pôle céleste.
Les coordonnées de Jupiter ont été
affichées sur les cercles, et on a trouvé
la planète dans le chercheur.
L'observateur a mis en route
l'entraînement et observe maintenant
Jupiter dans le télescope.*

Levier
de blocage

Échelle d'ascension droite
en heures et minutes

Levier de blocage

Échelle de déclinaison
en degrés

Chercheur

Tube du télescope
principal

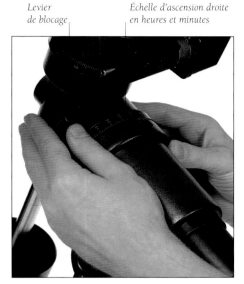

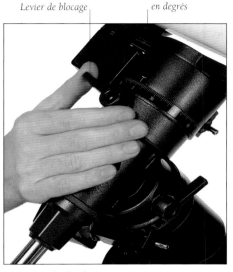

2 Régler l'ascension droite
*Trouvez dans un catalogue (p. 17) l'ascension droite
de l'objet céleste que vous souhaitez observer.
Tournez le cercle pour afficher cette valeur et
bloquez-le avec le levier.*

3 Régler la déclinaison
*Trouvez dans un catalogue (p. 17) la déclinaison
de l'objet céleste que vous avez choisi d'observer.
Tournez le cercle pour afficher cette valeur et
bloquez-le avec le levier.*

4 Utiliser le chercheur
*Mettez en route l'entraînement et regardez l'objet
dans le chercheur. S'il n'est pas au centre du champ,
ajustez-le avec la raquette. Une fois l'objet
au centre, vous pouvez le voir dans le télescope.*

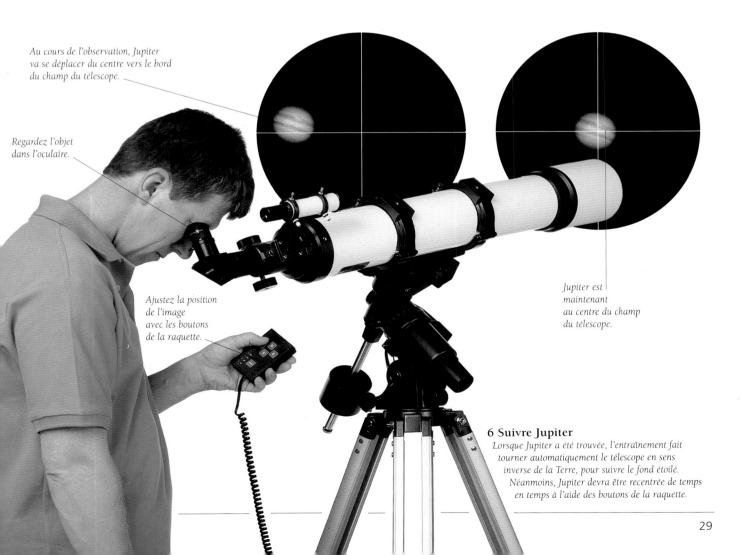

*Au cours de l'observation, Jupiter
va se déplacer du centre vers le bord
du champ du télescope.*

*Regardez l'objet
dans l'oculaire.*

*Ajustez la position
de l'image
avec les boutons
de la raquette.*

*Jupiter est
maintenant
au centre du champ
du télescope.*

6 Suivre Jupiter
*Lorsque Jupiter a été trouvée, l'entraînement fait
tourner automatiquement le télescope en sens
inverse de la Terre, pour suivre le fond étoilé.
Néanmoins, Jupiter devra être recentrée de temps
en temps à l'aide des boutons de la raquette.*

PHOTOGRAPHIER LE CIEL NOCTURNE

Photographier le ciel nocturne n'est pas seulement une façon simple d'enregistrer ses observations, cela vous aide aussi à voir ce que l'œil humain seul ne perçoit pas. La pellicule photographique est extrêmement sensible à la lumière, et les objets apparaîtront plus brillants et plus nets sur une photographie qu'avec des jumelles ou au télescope. On peut photographier les objets célestes avec un simple appareil 24 x 36 standard équipé d'un pied et d'un objectif normal, mais on obtiendra des images spectaculaires en associant un appareil à un télescope.

APPAREIL SUR PIED

On peut photographier de simples traînées d'étoiles avec un appareil 24 x 36. L'effet est produit par la rotation de la Terre, l'appareil étant fixe. Une pose de quatre minutes produit une traînée de 1°.

Appareil sur pied

Traînées d'étoiles
L'appareil est mis au point sur l'infini et pointé vers un pôle céleste. Une pose plus longue donnera une plus longue traînée.

APPAREIL MONTÉ EN PARALLÈLE

Un appareil 24 x 36 peut être monté sur un télescope pour profiter de son entraînement. On obtient ainsi des images nettes, non affectées par la rotation de la Terre. Pour une image plus détaillée, on peut utiliser un téléobjectif.

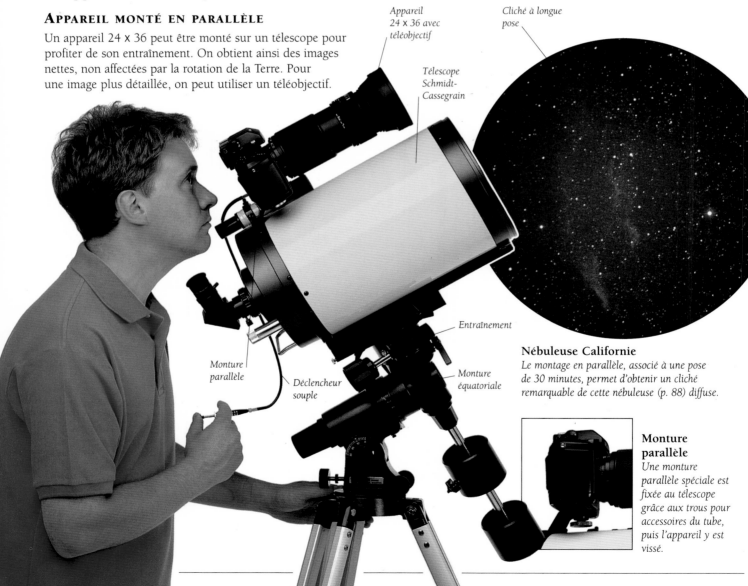

Appareil 24 x 36 avec téléobjectif

Télescope Schmidt-Cassegrain

Cliché à longue pose

Monture parallèle

Déclencheur souple

Entraînement

Monture équatoriale

Nébuleuse Californie
Le montage en parallèle, associé à une pose de 30 minutes, permet d'obtenir un cliché remarquable de cette nébuleuse (p. 88) diffuse.

Monture parallèle
Une monture parallèle spéciale est fixée au télescope grâce aux trous pour accessoires du tube, puis l'appareil y est vissé.

APPAREIL SUR TÉLESCOPE

Un appareil reflex, sans son objectif, peut être placé derrière l'oculaire d'un télescope, avec un adaptateur. La lumière est collectée par l'objectif du télescope et l'appareil ne sert qu'à contenir la pellicule.

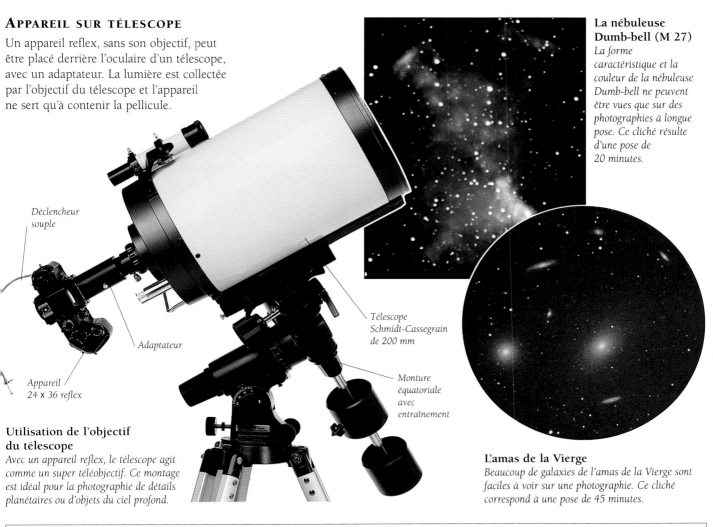

Déclencheur souple

Adaptateur

Appareil 24 x 36 reflex

Télescope Schmidt-Cassegrain de 200 mm

Monture équatoriale avec entraînement

Utilisation de l'objectif du télescope
Avec un appareil reflex, le télescope agit comme un super téléobjectif. Ce montage est idéal pour la photographie de détails planétaires ou d'objets du ciel profond.

La nébuleuse Dumb-bell (M 27)
La forme caractéristique et la couleur de la nébuleuse Dumb-bell ne peuvent être vues que sur des photographies à longue pose. Ce cliché résulte d'une pose de 20 minutes.

L'amas de la Vierge
Beaucoup de galaxies de l'amas de la Vierge sont faciles à voir sur une photographie. Ce cliché correspond à une pose de 45 minutes.

ACCESSOIRES

Plusieurs types d'accessoires vous permettront d'obtenir de meilleures images. Des filtres colorés peuvent être placés sur l'oculaire du télescope ou sur l'adaptateur : ils sont utiles aussi bien pour la photographie des planètes et des objets du ciel profond que pour leur observation directe.

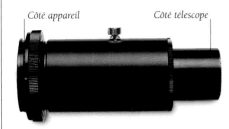

Côté appareil   Côté télescope

Adaptateur
Un adaptateur spécial qui s'insère entre le télescope et l'appareil permet l'utilisation d'un oculaire réglable pour changer le grandissement de l'image.

Vert   Bleu

Rouge   Jaune

Filtres colorés
Divers types de filtres peuvent être adaptés à l'oculaire du télescope. Chaque filtre est conçu pour éliminer une couleur, ou longueur d'onde lumineuse, et permettre le passage des autres longueurs d'onde, pour améliorer le contraste des détails planétaires, par exemple.

Filtre antipollution lumineuse
Un tel filtre élimine la lumière de l'éclairage public au sodium. On obtient ainsi un ciel plus noir et, par contraste, des objets plus brillants.

Ciel avec filtre

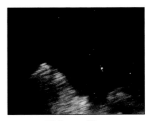

Ciel sans filtre

Filtre solaire
On peut photographier le Soleil sans danger avec un filtre spécial placé sur l'objectif du télescope.

L'ASTRONOMIE NUMÉRIQUE

La technologie numérique a fortement élargi l'horizon de l'astronome. Parmi les superbes images d'objets célestes que nous voyons, beaucoup sont produites par des caméras CCD (Charge Coupled Device, ou dispositif à transfert de charge), qui convertissent la lumière en données numériques, pour produire une image. Autrefois réservée aux astronomes professionnels, la caméra CCD est maintenant accessible aux amateurs. Adaptée à un télescope et reliée à un ordinateur domestique, elle fournit des images remarquables des objets célestes, même peu brillants. L'ordinateur peut aussi stocker des images provenant des grands observatoires ou du télescope spatial Hubble.

IMAGES CCD

Une caméra CCD est conçue pour donner des images spectaculaires d'objets individuels, et non de champs étendus. Elle est environ cent fois plus sensible à la lumière que l'œil humain, et peut enregistrer des objets invisibles autrement. Elle peut aussi résoudre de fins détails de ces objets.

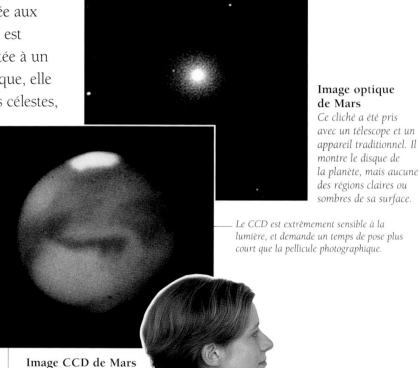

Image optique de Mars
Ce cliché a été pris avec un télescope et un appareil traditionnel. Il montre le disque de la planète, mais aucune des régions claires ou sombres de sa surface.

— *Le CCD est extrêmement sensible à la lumière, et demande un temps de pose plus court que la pellicule photographique.*

Image CCD de Mars
Cette image a été prise avec une caméra CCD adaptée sur un télescope. Elle a enregistré les marques claires et sombres de la surface, ainsi qu'une calotte polaire.

L'image peut être traitée simplement à l'ordinateur.

INTERNET

Tous ceux qui ont accès à Internet peuvent l'utiliser pour explorer l'espace. Un nombre croissant de groupes astronomiques ont des sites Web. Internet vous permet d'accéder au site d'un observatoire, et de voir ce qu'un télescope donné observe à n'importe quelle heure du jour ou de la nuit. On peut ainsi voir des événements spéciaux, comme des comètes ou des éclipses de Lune ou de Soleil.

Internet donne accès à des images professionnelles.

INSTALLATION D'UN CCD

Cette installation requiert trois éléments : un télescope avec une monture équatoriale à entraînement (pp. 26-27) ; une caméra CCD et son module de commande ; un ordinateur. Le logiciel pour enregistrer et stocker les données est en général inclus dans l'équipement CCD.

AMÉLIORATION D'IMAGE

Les images CCD peuvent être examinées et améliorées avec un logiciel de traitement d'image. On peut manipuler l'image à l'écran, en changeant la luminosité, le contraste, la couleur, par exemple. Il existe différents programmes : certains permettent d'améliorer un détail, mais aux dépens du reste de l'image ; d'autres permettent d'améliorer l'ensemble de l'image.

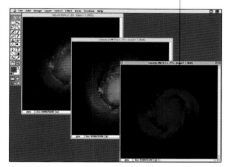

La caméra CCD produit trois images différentes.

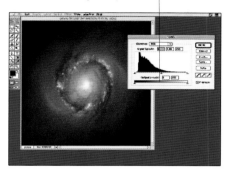

Une échelle de couleurs est utilisée pour l'ajustement.

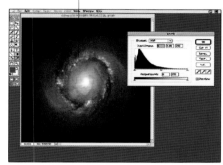

Image finale de la galaxie M 83, de l'Hydre

1 Clichés d'origine
On peut construire des images CCD couleur par couleur. Ces images ont été prises l'une après l'autre avec trois filtres colorés différents.

2 Combinaison des images de couleur
Chacune des trois images est manipulée indépendamment des deux autres avant combinaison. Ensuite, on ajuste l'image composite.

3 Filtrage et amélioration de l'image
L'image finale en couleurs de M 83 est affichée à l'écran. Elle a du piqué et de la profondeur.

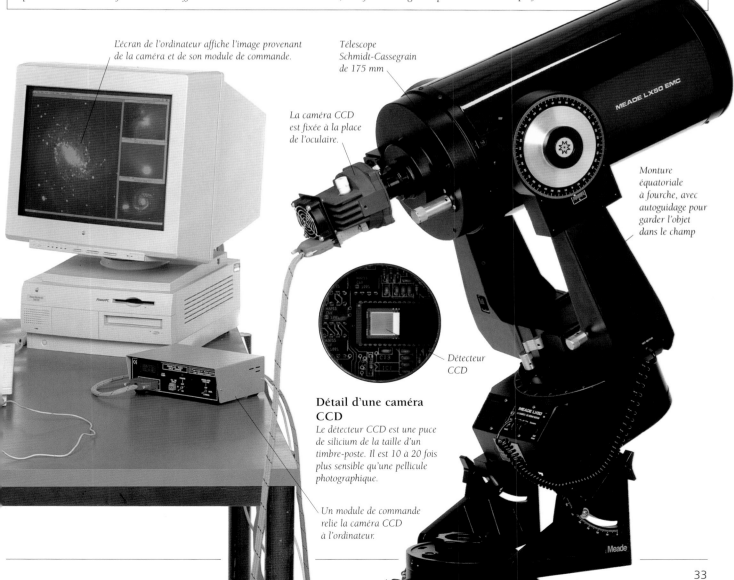

L'écran de l'ordinateur affiche l'image provenant de la caméra et de son module de commande.

Télescope Schmidt-Cassegrain de 175 mm

La caméra CCD est fixée à la place de l'oculaire.

Monture équatoriale à fourche, avec autoguidage pour garder l'objet dans le champ

Détecteur CCD

Détail d'une caméra CCD
Le détecteur CCD est une puce de silicium de la taille d'un timbre-poste. Il est 10 à 20 fois plus sensible qu'une pellicule photographique.

Un module de commande relie la caméra CCD à l'ordinateur.

Les plus proches voisins de la Terre dans l'espace sont les objets du système solaire. La nuit, le Soleil éclaire la Lune et les planètes. Ce chapitre décrit les planètes, la Lune, le Soleil, les comètes, les astéroïdes ainsi que d'autres objets, et explique comment

OBSERVER
le SYSTÈME SOLAIRE

LE SYSTÈME SOLAIRE

Le système solaire est un ensemble de planètes et de lunes centré sur le Soleil. Il comprend neuf planètes, dont la Terre, plus de soixante lunes, et bien d'autres objets célestes, dont des milliers d'astéroïdes. Le Soleil contient plus de 99 % de la matière du système solaire, et sa puissante gravité maintient l'ensemble du système. Chaque objet, du plus petit astéroïde jusqu'à Jupiter, la plus grande des planètes, est en orbite autour du Soleil. À l'extrême limite du système solaire, un nuage de comètes s'étend jusqu'à mi-chemin de l'étoile la plus proche.

Pluton
Planète la plus éloignée du Soleil, Pluton a une orbite excentrique. Pluton s'écarte loin du plan des autres planètes et, une fois par révolution, pénètre à l'intérieur de l'orbite de Neptune.

LUNES PLANÉTAIRES

La plupart des planètes du système solaire ont des lunes. Seules Mercure et Vénus n'en ont aucune. La Terre et Pluton en ont une chacune, la Lune et Charon, et les autres planètes en ont deux ou plus. Les lunes sont des membres mineurs du système solaire, mais les plus grandes sont comparables en taille aux plus petites planètes. Les grandes lunes sont sphériques, tandis que les plus petites, comme les lunes de Mars, Phobos et Deimos, ont une forme de patate.

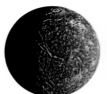

Titania
La plus grande lune d'Uranus a environ la moitié de la taille de notre Lune. Elle est constellée de cratères.

Io
Io, une des lunes de Jupiter, a une surface constamment renouvelée par l'activité volcanique.

La Lune
La Lune est l'objet céleste le plus proche de nous, et une vision familière dans notre ciel.

ORBITES DES PLANÈTES

On voit ci-dessus le Soleil et les planètes (les tailles et les distances ne sont pas à l'échelle). Tous les objets du système solaire, à l'exception des comètes, suivent des orbites proches du plan de l'équateur solaire, et tournent dans le sens contraire des aiguilles d'une montre, vus du pôle solaire Nord. En général, les planètes et leurs lunes tournent également sur leur axe dans ce même sens.

Saturne
La planète Saturne possède le système d'anneaux le plus étendu, coloré et complexe, ainsi que la plus grande famille de lunes de toutes les planètes du système solaire.

ÉVÉNEMENTS SPÉCIAUX

De temps en temps, des événements astronomiques spectaculaires sont visibles de la Terre. Parfois, une comète (pp. 76-77) apparaît clairement dans notre ciel, avec une tête brillante et une longue queue. Une éclipse de Soleil (pp. 70-71) est un événement rare mais mémorable, qui ne se produit qu'une fois ou deux par an. En revanche, les pluies de météores (pp. 74-75) sont des événements réguliers qui se reproduisent chaque année à la même date.

Comète
La vision spectaculaire d'une comète, avec sa tête brillante et sa queue, est inoubliable. Les plus brillantes sont visibles à l'œil nu.

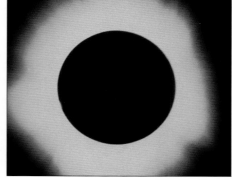

Éclipse de Soleil
Une éclipse de Soleil se produit lorsque la Terre, la Lune et le Soleil sont alignés, et que la Lune masque le Soleil, permettant de voir la couronne.

Le Soleil

Le Soleil, notre étoile locale, domine le système solaire, et sa gravité maintient la cohérence de ce dernier. Toute la lumière et la chaleur que nous recevons sur terre proviennent du Soleil.

Mars

Première planète au-delà de la Terre, Mars tourne sur elle-même à la même vitesse que cette dernière, mais il lui faut presque deux fois plus longtemps (687 jours) pour effectuer une orbite autour du Soleil.

Jupiter

Jupiter est immense, contenant deux fois et demie la masse de toutes les autres planètes réunies. Elle tourne sur elle-même plus vite qu'aucune autre planète, en dix heures seulement.

Uranus

Cette planète est deux fois plus loin du Soleil que Saturne. Elle tourne autour du Soleil en roulant sur elle-même, couchée sur son orbite.

Neptune

Plus une planète est éloignée du Soleil, plus sa période orbitale est longue : celle de Neptune atteint presque 165 ans.

Vénus

Deuxième planète la plus proche du Soleil, Vénus est de taille comparable à la Terre. Elle tourne sur elle-même dans le sens des aiguilles d'une montre, au contraire des autres planètes.

La Terre

Notre planète, la Terre, est la seule qui contienne de l'eau et abrite la vie. Elle accomplit une rotation sur elle-même en 24 heures et une révolution autour du Soleil en une année, ou 365 jours.

Mercure

Planète la plus proche du Soleil, Mercure est aussi celle qui se déplace le plus rapidement dans le système solaire. Elle porte le nom du messager des dieux chez les Romains.

Météore

Un météore est un trait de lumière brillant qui traverse le ciel. Il est causé par un débris de comète brûlant dans l'atmosphère de la Terre.

ÉCHELLE DES PLANÈTES

Jupiter est la plus grande planète du système solaire : il suffirait d'aligner 10 Jupiters pour couvrir le diamètre du Soleil. Saturne, Uranus et Neptune sont aussi des géantes. Les autres sont plus petites : il faudrait aligner 11 Terres pour couvrir le diamètre de Jupiter. Vénus est un peu plus petite que la Terre, ensuite viennent Mars, Mercure et Pluton, la plus petite des planètes.

Mercure   Vénus   Terre   Mars

Neptune

Uranus

Jupiter   Saturne   Pluton

NOTRE VUE DU SYSTÈME SOLAIRE

Depuis la Terre, nous pouvons voir à l'œil nu au moins un exemple de tous les types d'objets du système solaire. Même si nous sommes familiarisés avec les images spectaculaires envoyées à la Terre par les sondes spatiales ou le télescope spatial Hubble, rien n'égale le frisson que procure l'observation personnelle d'une planète ou d'une comète. Beaucoup d'objets sont visibles à l'œil nu, mais des jumelles ou un télescope révéleront plus de détails. Une fois visible, un objet donné peut être observé pendant plusieurs nuits, voire mois, alors qu'il traverse le système solaire.

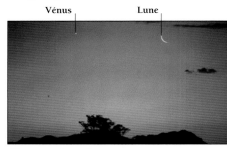

Observer les planètes
Toutes les planètes, sauf Neptune et Pluton, sont visibles à l'œil nu si les conditions sont favorables, mais on peut facilement les confondre avec des étoiles.

LE SYSTÈME SOLAIRE ET LA TERRE

Les orbites de la Terre et des autres planètes autour du Soleil sont à peu près dans le même plan (p. 36). Vus de la Terre, le Soleil, les planètes et la Lune apparaissent toujours proches d'une ligne imaginaire entourant la Terre, alors que ce sont la Terre et les planètes qui tournent autour du Soleil. Cette ligne imaginaire est appelée écliptique.

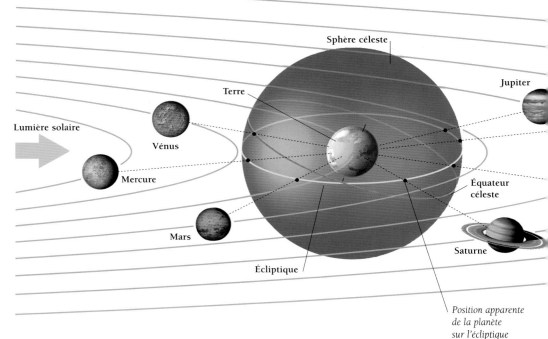

Position apparente de la planète sur l'écliptique

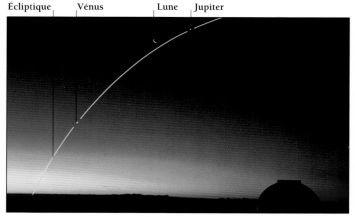

Voir l'écliptique depuis la Terre
Toutes les planètes suivent des orbites proches de l'écliptique (à quelques degrés près), au nord ou au sud de ce dernier. La position de l'écliptique dans le ciel dépend de votre localisation sur terre.

L'ÉCLIPTIQUE SUR LES CARTES DU CIEL

Sur la sphère céleste (p. 16), l'écliptique coupe deux fois l'équateur céleste, aux points où le Soleil passe de l'hémisphère Nord à l'hémisphère Sud, et vice versa. La zone de ciel limitée en déclinaison par le point le plus au nord et le point le plus au sud de l'écliptique sert de base aux cartes de localisation des planètes, pp. 40 à 61.

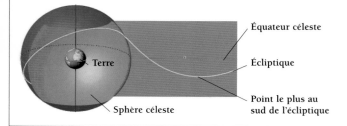

MOUVEMENT RÉTROGRADE

Les planètes semblent se déplacer d'ouest
en est sur le fond étoilé du ciel. Pourtant,
une planète peut parfois paraître se
déplacer dans la direction opposée.
Cette marche arrière est une illusion :
toutes les planètes se déplacent dans
le même sens autour du Soleil. L'illusion
est provoquée par le mouvement de
la Terre : quand celle-ci, plus rapide,
double une planète supérieure (plus
éloignée du Soleil que la Terre), la planète
acquiert un mouvement rétrograde,
et semble reculer pendant quelque temps.

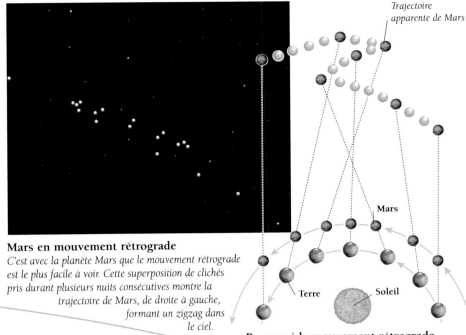

Trajectoire apparente de Mars

Mars

Terre **Soleil**

Mars en mouvement rétrograde
*C'est avec la planète Mars que le mouvement rétrograde
est le plus facile à voir. Cette superposition de clichés
pris durant plusieurs nuits consécutives montre la
trajectoire de Mars, de droite à gauche,
formant un zigzag dans
le ciel.*

Pourquoi le mouvement rétrograde
*Dans leur mouvement autour du Soleil,
la Terre, sur la piste intérieure, double
Mars, qui semble alors reculer dans
le ciel terrestre.*

Uranus

Neptune

**Position réelle
de la planète
sur son orbite**

Jupiter   **Saturne**

QUAND OBSERVER LES PLANÈTES

Les planètes Mercure et Vénus
se déplacent autour du Soleil
à l'intérieur de l'orbite
terrestre, et sont appelées
« planètes inférieures ».
Quand nous les regardons,
nous regardons dans la direction
du Soleil. Le meilleur moment
pour observer les planètes
inférieures est l'élongation
(p. 47). Les planètes extérieures
à l'orbite de la Terre sont dites
« supérieures ». Contrairement
aux planètes inférieures, elles
peuvent être observées loin
du Soleil, le meilleur moment
étant l'opposition, où elles
se trouvent à l'opposé du Soleil.

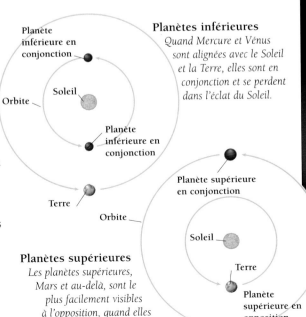

Planète inférieure en conjonction

Soleil

Orbite

Planète inférieure en conjonction

Terre

Planètes inférieures
*Quand Mercure et Vénus
sont alignées avec le Soleil
et la Terre, elles sont en
conjonction et se perdent
dans l'éclat du Soleil.*

Planète supérieure en conjonction

Orbite

Soleil

Terre

Planète supérieure en opposition

Planètes supérieures
*Les planètes supérieures,
Mars et au-delà, sont le
plus facilement visibles
à l'opposition, quand elles
sont au plus près de la Terre
et à l'opposé du Soleil.*

Les planètes et la Lune
*Les planètes et la Lune se déplaçant dans la
même zone du ciel, deux ou plusieurs d'entre
elles apparaissent parfois proches dans le ciel.
Si deux d'entre elles sont effectivement alignées sur
l'écliptique, on dit qu'elles sont « en conjonction ».*

MERCURE

Mercure est un monde sombre et gris. Bien qu'elle soit la planète la plus proche du Soleil, elle ne renvoie qu'environ 6 % de la lumière qu'elle en reçoit. La planète se déplace rapidement, faisant le tour du Soleil en à peine 88 jours terrestres. Restant si près du Soleil, Mercure n'est jamais visible en pleine nuit, et il est impossible d'observer sa surface depuis la Terre.

DONNÉES PLANÉTAIRES

Mercure · Vénus · Terre · Mars · Jupiter · Saturne · Uranus · Neptune · Pluton

Diamètre à l'équateur
4 878 km

Distance moyenne au Soleil
57 910 000 km

Température moyenne de la surface
−180 à + 430 °C

Lunes
Aucune

Période de rotation
58,7 jours terrestres

Période orbitale
87,97 jours terrestres

Gravité (Terre = 1)
0,38

Masse (Terre = 1)
0,055

LOCALISER MERCURE 1999-2010

Pour trouver Mercure, utilisez la carte (ci-dessous) pour savoir dans quelle constellation se trouve la planète, puis utilisez le planisphère pour trouver la position exacte de la constellation au moment et à la latitude qui vous concernent. Les positions indiquées sur la carte correspondent aux moments où Mercure est à sa plus grande distance du Soleil dans le ciel terrestre, c'est-à-dire à l'élongation (p. 47), et donc dans les meilleures conditions d'observation depuis la Terre.

SYMBOLES DE LA CARTE DE LOCALISATION

1999	2003	2007
2000	2004	2008
2001	2005	2009
2002	2006	2010

Exemple
17 / 10   Position de Mercure le 17 octobre 2006

Chaque année, de 1999 à 2010, est représentée par une pastille de couleur. En blanc sont indiqués le jour et le mois où Mercure est le mieux visible dans le ciel, c'est-à-dire quand la planète est à l'élongation.

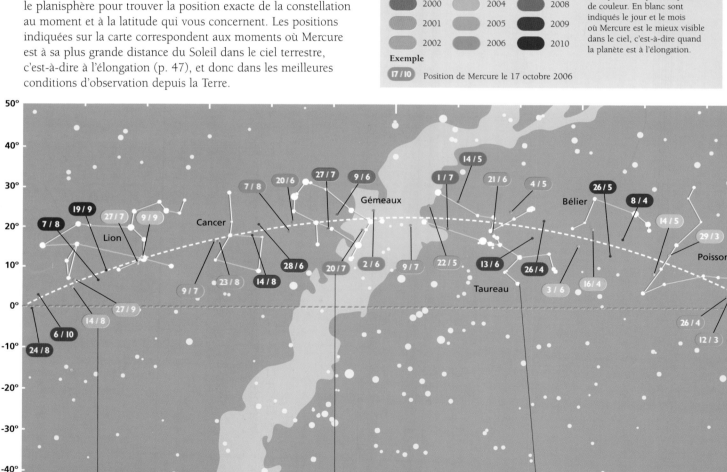

Il y a chaque année six ou sept élongations de Mercure (p. 47). Ce sont les meilleurs moments pour observer cette planète, car elle n'est pas perdue dans l'éclat du Soleil.

Le disque minuscule de Mercure est difficile à voir, car la planète n'est visible que près de l'horizon, où l'atmosphère terrestre est le plus turbulente.

Mercure est facile à confondre avec une étoile. Apprenez à reconnaître les étoiles de magnitude − 0,5 à 0,5 dans la constellation où se trouve Mercure.

MERCURE
VÉNUS
MARS
JUPITER
SATURNE
URANUS
NEPTUNE
PLUTON
LUNE
SOLEIL

LA SURFACE DE MERCURE

Dans les années 1970, Mariner 10 a survolé Mercure et renvoyé des clichés d'une planète rocheuse, criblée, comme la Lune, de milliers de cratères. Mercure présente aussi des crêtes longues et basses, ou escarpements. Les cratères ont été formés par le bombardement de rocs de l'espace, et les escarpements sont les rides de surface dues au refroidissement et au rétrécissement de la planète. La surface de Mercure n'a pas changé depuis des milliards d'années, car il n'y a pas d'atmosphère pour éroder ses traits.

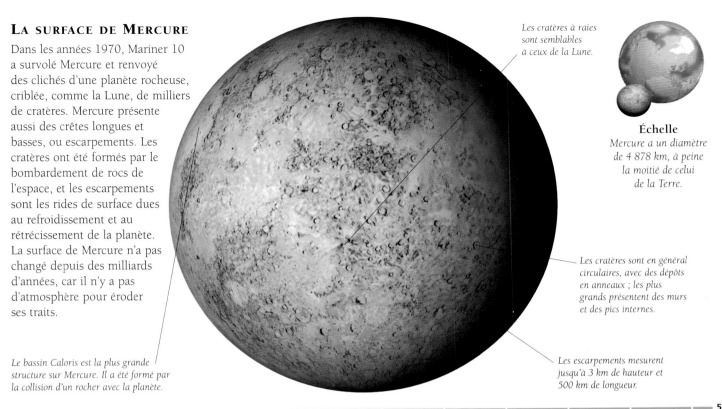

Les cratères à raies sont semblables à ceux de la Lune.

Échelle
Mercure a un diamètre de 4 878 km, à peine la moitié de celui de la Terre.

Les cratères sont en général circulaires, avec des dépôts en anneaux ; les plus grands présentent des murs et des pics internes.

Les escarpements mesurent jusqu'à 3 km de hauteur et 500 km de longueur.

Le bassin Caloris est la plus grande structure sur Mercure. Il a été formé par la collision d'un rocher avec la planète.

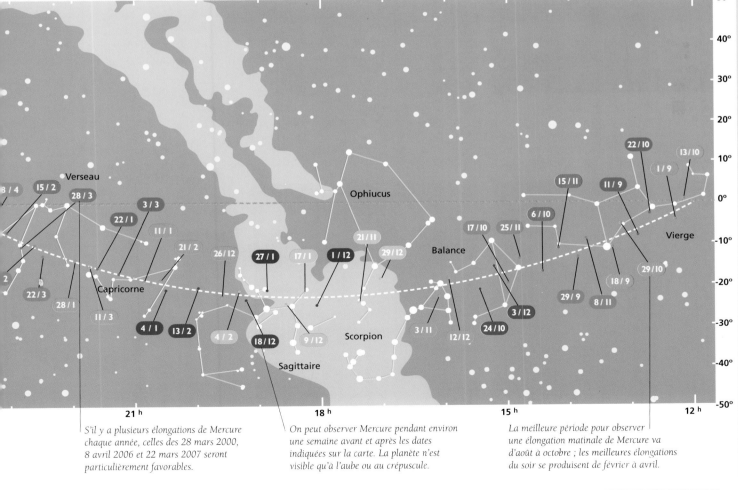

S'il y a plusieurs élongations de Mercure chaque année, celles des 28 mars 2000, 8 avril 2006 et 22 mars 2007 seront particulièrement favorables.

On peut observer Mercure pendant environ une semaine avant et après les dates indiquées sur la carte. La planète n'est visible qu'à l'aube ou au crépuscule.

La meilleure période pour observer une élongation matinale de Mercure va d'août à octobre ; les meilleures élongations du soir se produisent de février à avril.

SOLEIL
LUNE
PLUTON
NEPTUNE
URANUS
SATURNE
JUPITER
MARS
VÉNUS
MERCURE

OBSERVER MERCURE

Il y a chaque année six périodes où Mercure peut être vue au mieux : trois fois à l'est du Soleil, et trois fois à l'ouest. Mercure se trouve alors près de l'horizon dans le ciel de l'aube ou du crépuscule. À l'ouest du Soleil, elle apparaît juste avant l'aube ; à l'est, une heure environ après le coucher du Soleil. Dans chaque cas, on peut observer Mercure pendant deux semaines environ, puis la planète disparaît à nouveau dans la lumière du Soleil. Tous les six ans, en moyenne, Mercure offre le spectacle remarquable d'un passage devant le Soleil.

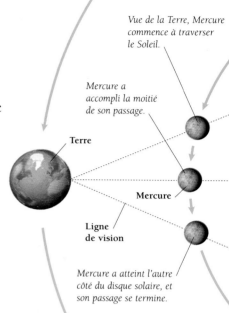

Vue de la Terre, Mercure commence à traverser le Soleil.

Mercure a accompli la moitié de son passage.

Terre

Mercure

Ligne de vision

Mercure a atteint l'autre côté du disque solaire, et son passage se termine.

REGARDER MERCURE

👁 À l'œil nu
À son maximum d'éclat, Mercure dépasse parfois Sirius (p. 113) en luminosité. Mercure reste toujours proche de l'horizon, apparaissant comme un point lumineux scintillant à cause de turbulences dans l'atmosphère.

🔭 Avec des jumelles
Les jumelles ne montrent rien de plus sur Mercure, mais elles peuvent vous aider à trouver la planète. Assurez-vous que le Soleil est couché, puis balayez le couchant avec les jumelles.

PASSAGE DE MERCURE

L'orbite de Mercure l'amène d'habitude au-dessus ou au-dessous du Soleil. Mais, quand le Soleil, Mercure et la Terre sont alignés, Mercure passe devant le disque solaire, phénomène qu'on appelle un passage de Mercure.

🔭 Au télescope
Dans un petit télescope, Mercure conserve l'aspect d'un objet stellaire scintillant, tandis qu'un télescope plus puissant montre sa forme, et permet aussi de discerner sa phase.

💻 Sur une image CCD
La phase devient bien visible, mais on ne peut distinguer aucun détail de la surface. Une phase pleine ne peut jamais être observée, parce que Mercure se trouve alors hors de vue, de l'autre côté du Soleil.

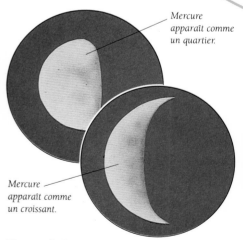

Mercure apparaît comme un quartier.

Mercure apparaît comme un croissant.

Phases de Mercure
Comme Vénus, Mercure présente des phases ; c'est à l'élongation (p. 47), alors que sa phase est un quartier, que la planète est le plus facile à observer. Des observateurs équipés de télescopes puissants ont distingué des régions claires et sombres, mais sans relation avec les structures de surface identifiées.

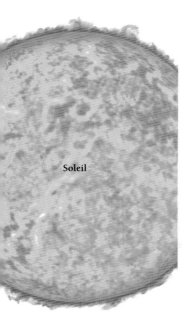

*Orbite de Mercure
autour du Soleil*

Soleil

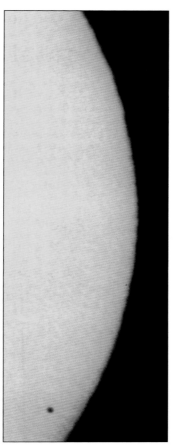

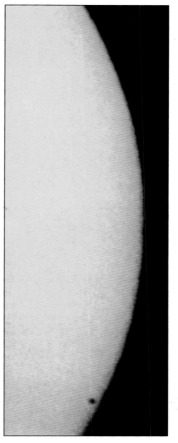

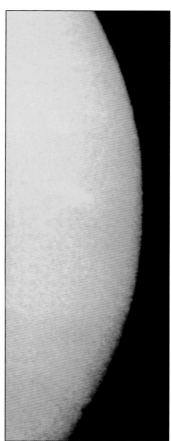

ATTENTION !

Ne regardez jamais le Soleil directement. Pour observer un passage de Mercure, suivez la méthode indiquée p. 68 pour regarder le Soleil sans risque.

Passage de 1973

Ces trois clichés montrent la fin du passage de Mercure devant le Soleil en 1973. Mercure forme un minuscule point noir sur l'énorme disque du Soleil. La planète met plusieurs heures à traverser le disque solaire avant de disparaître sur le bord droit. La durée du passage dépend de l'endroit où l'on voit Mercure traverser le Soleil : un passage à l'équateur solaire dure le plus longtemps.

Mercure dans le ciel du crépuscule
Mercure est le point blanc au centre du cliché. Le Soleil vient de se coucher, et Mercure disparaîtra bientôt sous l'horizon. La proximité de l'horizon est un gros problème pour l'observation, car la turbulence de l'air à l'horizon permet très difficilement d'obtenir une vue stable et satisfaisante de la planète.

ÉPOQUES D'OBSERVATION

Mercure s'observe le mieux à l'élongation (p. 47). À sa plus grande élongation orientale (à l'est du Soleil), la planète est visible à l'ouest après le coucher du Soleil. À sa plus grande élongation occidentale (à l'ouest du Soleil), elle se montre à l'est, juste avant le lever du Soleil. La carte de localisation (pp. 40-41) indique les élongations de 1999 à 2010.

DATES DES PASSAGES

La durée d'un passage dépend de la position de Mercure et de sa trajectoire devant le disque solaire.

15 nov. 1999, à 21 h 43, pendant 52 min
7 mai 2003, à 7 h 53, pendant 5 h 18 min
8 nov. 2006, à 21 h 42 pendant 4 h 58 min

VÉNUS

Vénus est la deuxième planète à partir du Soleil, et son orbite l'amène à 42 millions de kilomètres de la Terre, plus près qu'aucune autre planète. Vénus est l'objet le plus brillant du ciel nocturne après la Lune. La surface brillante que nous voyons est la partie supérieure d'une atmosphère dense de gaz carbonique, qui dissimule un monde volcanique, chaud et inhospitalier.

DONNÉES PLANÉTAIRES

Mercure   Vénus   Terre   Mars   Jupiter   Saturne   Uranus   Neptune   Pluton

Diamètre à l'équateur
12 104 km

Distance moyenne au Soleil
108 200 000 km

Température moyenne de la surface
465 °C

Lunes

Période de rotation
243 jours terrestres (d'est en ouest)

Période orbitale
224,7 jours terrestres

Gravité (Terre = 1)
0,9

Masse (Terre = 1)
0,81

LOCALISER VÉNUS 1999-2010

Pour trouver Vénus, utilisez la carte (ci-dessous) pour savoir dans quelle constellation se trouve la planète, puis utilisez le planisphère pour trouver la position exacte de la constellation au moment et à la latitude qui vous concernent. Vous devriez voir Vénus à l'œil nu au lever du jour ou en début de soirée. La planète reste proche de l'écliptique, et présente un mouvement rétrograde tous les 19 mois environ.

SYMBOLES DE LA CARTE DE LOCALISATION

1999	2003	2007
2000	2004	2008
2001	2005	2009
2002	2006	2010

Exemples

7 — Position de Vénus le 1er juillet 2001

11 — Position de Vénus le 1er novembre 2010. La flèche indique un mouvement rétrograde.

Chaque année porte une couleur différente. Les chiffres en blanc indiquent les mois, et correspondent au début du mois.

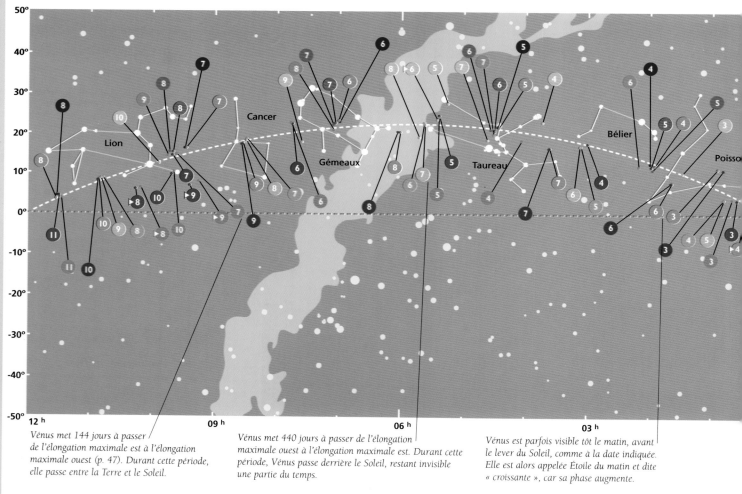

Lion   Cancer   Gémeaux   Taureau   Bélier   Poisso[n]

12ʰ   09ʰ   06ʰ   03ʰ

Vénus met 144 jours à passer de l'élongation maximale est à l'élongation maximale ouest (p. 47). Durant cette période, elle passe entre la Terre et le Soleil.

Vénus met 440 jours à passer de l'élongation maximale ouest à l'élongation maximale est. Durant cette période, Vénus passe derrière le Soleil, restant invisible une partie du temps.

Vénus est parfois visible tôt le matin, avant le lever du Soleil, comme à la date indiquée. Elle est alors appelée Étoile du matin et dite « croissante », car sa phase augmente.

SOLEIL · LUNE · PLUTON · NEPTUNE · URANUS · SATURNE · JUPITER · MARS · VÉNUS · MERCURE

LA SURFACE DE VÉNUS

Magellan, l'une des missions spatiales vers Vénus les plus réussies, a cartographié presque toute la planète avec un radar, entre 1989 et 1992. Il apparut que Vénus était un monde de hautes terres, de dépressions et de plaines ondulées, couvertes de flots de lave, de cratères d'impact et de canyons. Plus des trois quarts de la planète ont été affectés par des éruptions volcaniques, et de nombreux volcans doivent être encore actifs. Ce cliché montre l'aspect de Vénus, loin au-dessous des nuages.

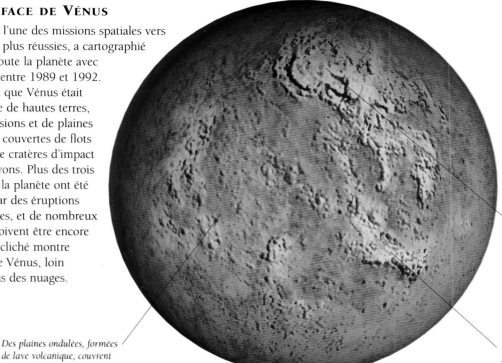

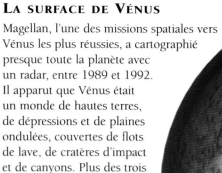

Échelle
Vénus a un diamètre de 12 100 km, légèrement inférieur à celui de la Terre.

Terra Ishtar est l'une des deux hautes terres principales de Vénus. Elle contient les monts Maxwell, la plus haute chaîne de montagnes.

Proche de l'équateur, Terra Aphrodite est la plus grande haute terre de Vénus.

Des plaines ondulées, formées de lave volcanique, couvrent l'essentiel de la planète.

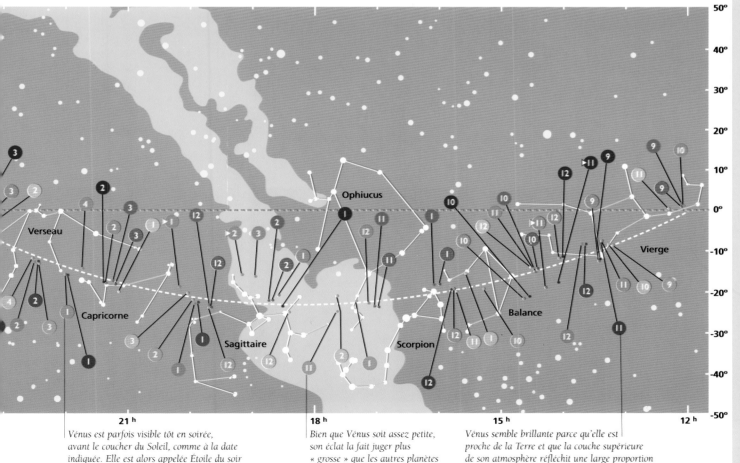

21 h
Vénus est parfois visible tôt en soirée, avant le coucher du Soleil, comme à la date indiquée. Elle est alors appelée Étoile du soir et dite « décroissante », car sa phase diminue.

18 h
Bien que Vénus soit assez petite, son éclat la fait juger plus « grosse » que les autres planètes quand on l'observe à l'œil nu.

15 h
Vénus semble brillante parce qu'elle est proche de la Terre et que la couche supérieure de son atmosphère réfléchit une large proportion (75 %) de la lumière solaire qu'elle reçoit.

12 h

OBSERVER VÉNUS

Vénus, comme Mercure, ne s'écarte jamais beaucoup du Soleil.
Mais, à la différence de Mercure, elle peut être vue dans un ciel noir,
car elle est plus éloignée du Soleil. Nous la voyons très brillante
le matin ou le soir : sa magnitude atteint − 4,7, mais elle varie
au cours du temps, comme sa taille apparente. Lorsque la planète
s'approche de la Terre, la taille de son disque augmente, mais,
Vénus étant alors décroissante, nous en voyons moins à ce moment,
et plus lorsqu'elle s'éloigne de la Terre.

LES PHASES DE VÉNUS

Vénus présente un cycle de phase analogue
à celui de la Lune (pp. 62-63), car un seul
côté est éclairé par le Soleil, et nous voyons
une fraction variable de ce côté éclairé. Les
clichés ci-dessous couvrent environ un tiers
du cycle de phase de Vénus, montrant
le changement d'aspect entre la planète
gibbeuse, aux trois quarts pleine (à gauche),
et une étroite bande de lumière sur
un grand disque, quand Vénus se trouve
entre le Soleil et la Terre (extrême droite).

REGARDER VÉNUS

👁 **À l'œil nu**
*Vénus apparaît dans le ciel nocturne comme une
étoile brillante : l'étoile du Berger. Elle est facile à voir
à l'œil nu, mais sa lumière est parfois si aveuglante
qu'elle empêche de la distinguer nettement.*

🔭 **Avec des jumelles**
*Les phases deviennent observables. On peut suivre
le cycle de Vénus, la partie éclairée du disque
augmentant et diminuant à l'inverse de la taille
apparente de la planète.*

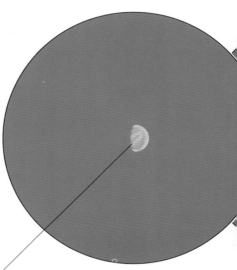

*Nous voyons le maximum de surface de Vénus quand
la planète est au point visible le plus éloigné de la Terre,
mais elle paraît petite à cause de la grande distance.*

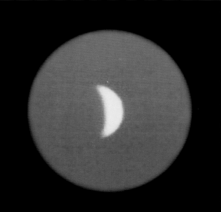

🛰 **Au télescope**
*Le disque de Vénus est plus grand dans un
télescope, et la phase est donc un peu plus visible ;
autrement, le télescope ne montre rien de plus
que les jumelles.*

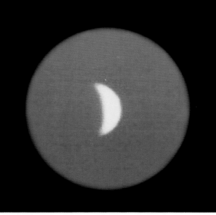

💻 **Sur une image CCD**
*La phase de Vénus devient bien visible. La planète
est un disque jaune-blanc, et l'on peut distinguer
de vagues marques dans la couche supérieure
de nuages.*

ÉPOQUES D'OBSERVATION

Vénus s'observe le mieux à ses plus
grandes élongations orientales
ou occidentales (voir ci-dessous).
À l'élongation orientale (E), elle est visible
dans le ciel du soir. À l'élongation
occidentale (W), elle apparaît tôt le matin,
avant le lever du Soleil.

DATES DES ÉLONGATIONS

11 juin 1999 E	3 nov. 2005 E
31 oct. 1999 W	25 mars 2006 W
17 janv. 2001 E	9 juin 2007 E
8 juin 2001 W	28 oct. 2007 W
22 août 2002 E	14 janv. 2009 E
11 janv. 2003 W	5 juin 2009 W
29 mars 2004 E	20 août 2010 E
17 août 2004 W	

Vénus et la Lune dans le ciel du soir

Après le coucher du Soleil, Vénus apparaît comme une étoile brillante dans le ciel du soir : son éclat n'est surpassé que par celui de la Lune. Elle disparaîtra bientôt à son tour sous l'horizon. Quand on la voit le soir, comme ici, son côté occidental est illuminé ; quand elle se lève le matin avant le Soleil, c'est le côté oriental de la planète qui est éclairé par le Soleil.

À sa plus grande élongation, Vénus est grande, brillante et facile à voir. On distingue des zones claires et sombres sur sa surface.

Quand Vénus s'approche de la Terre, la planète semble grandir, mais la surface visible est moins grande.

Vénus est en phase de croissant. Les pointes (ou cornes) du croissant sont notablement plus brillantes que le reste de ce dernier.

Vénus est presque exactement entre le Soleil et la Terre et un mince anneau de lumière entoure presque entièrement la planète.

PASSAGE DE VÉNUS, 1882

Vénus, comme Mercure, passe parfois devant le Soleil (pp. 42-43) ; toutefois, ces passages sont rares, mais ils se produisent à des dates relativement proches deux à deux. La dernière paire s'est produite en 1874 et 1882, et la prochaine arrivera en 2004 et 2012.

ÉLONGATION DES PLANÈTES INFÉRIEURES

Comme Mercure (pp. 40-43), Vénus est une planète inférieure. La facilité avec laquelle nous la voyons dépend de sa position par rapport à la Terre et au Soleil : entre la Terre et le Soleil, elle se perd dans l'éclat de celui-ci ; derrière le Soleil, elle est hors de vue. Les meilleurs moments pour l'observer sont ceux où elle forme avec le Soleil un angle (l'élongation) maximal, à l'est ou à l'ouest. On dit alors que la planète est « à l'élongation ».

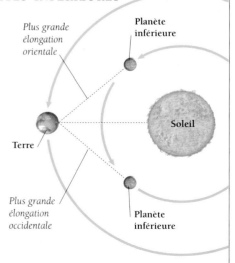

Plus grande élongation orientale

Planète inférieure

Soleil

Terre

Plus grande élongation occidentale

Planète inférieure

MARS

Mars est un objet rouge bien visible dans le ciel
nocturne : il n'a que la moitié de la taille de la Terre,
et n'est jamais à moins de 56 millions de kilomètres
de celle-ci, mais il est facile à voir la plus grande partie
de l'année. Mars est la seule planète dont les détails de
surface soient visibles depuis la Terre, et c'est aussi celle
qui lui ressemble le plus : elle a des calottes polaires et
des saisons, et de l'eau a coulé jadis à sa surface.

LOCALISER MARS 1999-2010

Pour trouver Mars, utilisez la carte (ci-dessous) pour savoir
dans quelle constellation elle se trouve, puis utilisez le planisphère
pour trouver la position de la constellation au moment et à la
latitude qui vous concernent. Si les conditions d'observation sont
favorables, vous devriez voir Mars à l'œil nu. La planète reste
proche de l'écliptique, et, bien qu'elle se déplace d'ouest en est
dans le ciel (de droite à gauche sur la carte), elle présente
périodiquement un mouvement rétrograde (p. 39).

DONNÉES PLANÉTAIRES

Mercure Vénus Terre Mars Jupiter Saturne Uranus Neptune Pluton

Diamètre à l'équateur 6 790 km	**Période de rotation** 24 heures et 37 minutes terrestres
Distance moyenne au Soleil 227 940 000 km	**Période orbitale** 686,9 jours terrestres
Température moyenne de la surface −120 °C à +25 °C	**Gravité (Terre = 1)** 0,38
Lunes 2 (Phobos, Deimos)	**Masse (Terre = 1)** 0,11

SYMBOLES DE LA CARTE DE LOCALISATION

● 1999	● 2003	● 2007	Exemples
● 2000	● 2004	● 2008	**9** Position de Mars le 1ᵉʳ septembre 2000
● 2001	● 2005	● 2009	▶2 Position de Mars le 1ᵉʳ février 2010. La flèche indique un mouvement rétrograde
● 2002	● 2006	● 2010	

Chaque année porte une couleur différente. Les chiffres en
blanc indiquent les mois, et correspondent au début du mois.

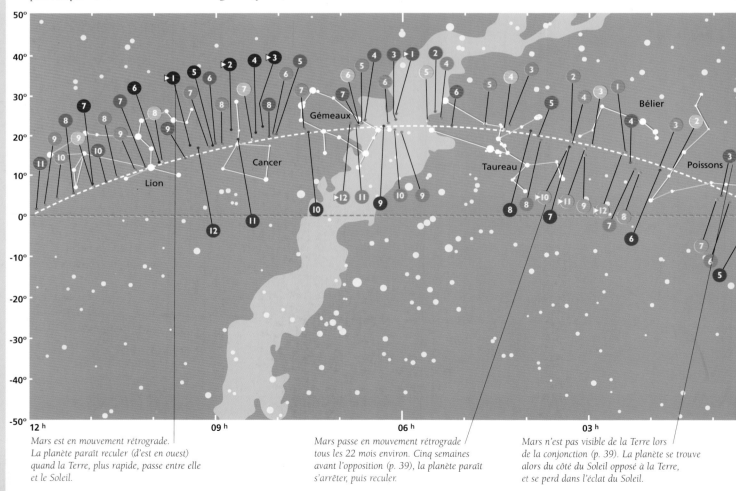

Lion · Cancer · Gémeaux · Taureau · Bélier · Poissons

12ʰ   **09ʰ**   **06ʰ**   **03ʰ**

*Mars est en mouvement rétrograde.
La planète paraît reculer (d'est en ouest)
quand la Terre, plus rapide, passe entre elle
et le Soleil.*

*Mars passe en mouvement rétrograde
tous les 22 mois environ. Cinq semaines
avant l'opposition (p. 39), la planète paraît
s'arrêter, puis reculer.*

*Mars n'est pas visible de la Terre lors
de la conjonction (p. 39). La planète se trouve
alors du côté du Soleil opposé à la Terre,
et se perd dans l'éclat du Soleil.*

SOLEIL · LUNE · PLUTON · NEPTUNE · URANUS · SATURNE · JUPITER · MARS · VÉNUS · MERCURE

La surface de Mars

Mars est une petite planète rocheuse qui apparaît nettement rouge : cette couleur vient de l'oxyde de fer présent dans les rochers et la poussière qui couvrent la plus grande partie de la planète. De violents ouragans déplacent la poussière, formant des zones claires et sombres visibles depuis la Terre. De grands volcans éteints s'élèvent au-dessus des plaines, et un énorme système de canyons partage la planète en son milieu. La surface est striée de canaux étroits, formés il y a bien longtemps par de l'eau courante.

Olympus Mons, avec 26 km d'altitude, est le plus grand volcan du système solaire.

Échelle
Mars a un diamètre de 6 790 km, un peu plus de la moitié de celui de la Terre.

Des vallées desséchées, formées jadis par de l'eau courante, sinuent sur des centaines de kilomètres.

Valles Marineris est un système de canyon formé par des failles d'effondrement dans la surface de Mars. Il a plus de 4 000 km de longueur.

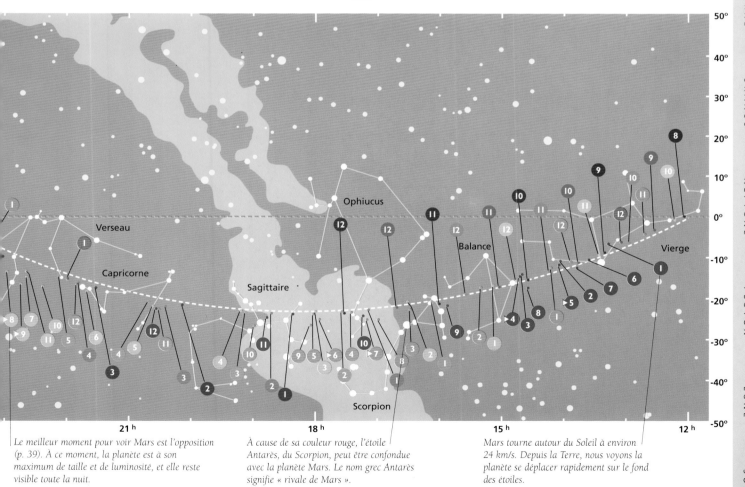

Le meilleur moment pour voir Mars est l'opposition (p. 39). À ce moment, la planète est à son maximum de taille et de luminosité, et elle reste visible toute la nuit.

À cause de sa couleur rouge, l'étoile Antarès, du Scorpion, peut être confondue avec la planète Mars. Le nom grec Antarès signifie « rivale de Mars ».

Mars tourne autour du Soleil à environ 24 km/s. Depuis la Terre, nous voyons la planète se déplacer rapidement sur le fond des étoiles.

OBSERVER MARS

Comme toutes les planètes, Mars n'émet pas de lumière et ne fait que réfléchir la lumière solaire. Elle est plus facile à voir que les planètes inférieures, Mercure et Vénus, car elle se trouve au-delà de l'orbite de la Terre et, lorsque nous l'observons, nous ne regardons pas vers le Soleil. La période la plus favorable pour voir Mars est l'opposition (p. 39), quand la planète est près de la Terre et haut dans le ciel ; elle se produit tous les deux ans environ. À cause de l'excentricité de son orbite, la distance de Mars à la Terre varie de 56 à 100 millions de kilomètres d'une opposition à une autre.

REGARDER MARS

👁 À l'œil nu
La planète Mars est accessible à toute personne douée d'une vue normale : seules Vénus et Jupiter la dépassent en éclat. Sur ce cliché, Mars (à gauche) est en conjonction avec Jupiter (à droite).

🔭 Avec des jumelles
La forme du disque apparaît, montrant que Mars est bien une planète. Avec des jumelles suffisamment puissantes, on peut tout juste apercevoir les calottes polaires de Mars.

✈ Au télescope (image inversée)
Ainsi observée, Mars est nettement rouge, et l'on peut distinguer les détails de sa surface : les calottes polaires et les zones sombres équatoriales sont bien visibles.

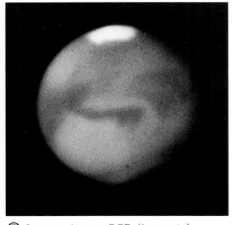

💻 Sur une image CCD (inversée)
Le pôle Sud (en haut) est incliné vers la Terre, et apparaît comme une tache blanche. Les taches sombres deviennent très nettes : sur le bord gauche, Syrtis Major.

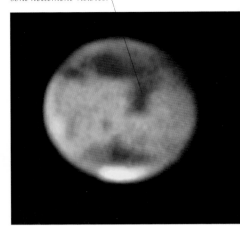

21 h 29 *Les détails de la surface de Mars sont nettement visibles.*

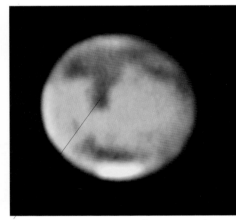

23 h 23 *Syrtis Major passe à l'extrême gauche.*

LA ROTATION DE MARS

Mars tourne sur elle-même en 24 heures et 37 minutes. En une soirée, on peut observer une partie de cette rotation. Les images télescopiques ci-dessus sont renversées.

ÉPOQUES D'OBSERVATION

Quand Mars est à l'opposition (p. 39), elle est dans la position la plus favorable pour l'observation : la Terre se trouve alors juste entre le Soleil et Mars, et la planète est au-dessus de l'horizon toute la nuit. L'opposition du mois d'août 2003 sera plus particulièrement favorable.

DATES DES OPPOSITIONS

24 avril 1999	7 nov. 2005
13 juin 2001	24 déc. 2007
28 août 2003	29 janv. 2010

22 h 05 *Syrtis Major s'est rapprochée du centre de l'image.*

22 h 50 *Les détails de la surface sont dans la même position environ 37 minutes plus tard chaque nuit.*

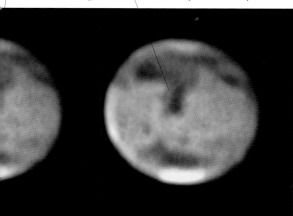

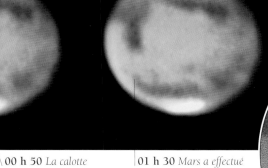

00 h 50 *La calotte polaire Nord est inclinée vers la Terre.*

01 h 30 *Mars a effectué environ un sixième de sa rotation quotidienne.*

LES LUNES DE MARS

Les deux lunes de Mars, Phobos et Deimos, sont difficiles à observer de la Terre, car elles sont noyées dans l'éclat de la planète : il faut un grand télescope pour n'apercevoir que de petits points lumineux. Nous ne connaissons l'aspect de ces lunes que par les sondes spatiales.

Deimos
La plus petite des deux lunes martiennes n'a que 16 km de longueur. Sa magnitude est de 13 et son orbite autour de Mars dure 30 heures.

Phobos
Cette lune mesure 28 km de longueur et tourne autour de Mars en moins de 8 heures. Comme Deimos, Phobos est sans doute un astéroïde capturé par la gravité de Mars.

Mars

Orbite de Phobos

Phobos est à 5 980 km de Mars

Phobos

Orbite de Deimos

Deimos est à 20 065 km de Mars

Deimos

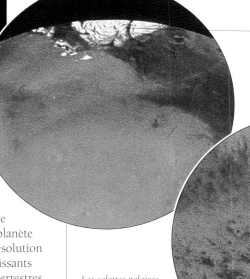

Les calottes polaires changent de taille : elles atteignent leur taille maximale durant l'hiver martien.

Les calottes polaires rétrécissent et atteignent leur taille minimale durant l'été martien.

OLYMPUS MONS

Grâce aux images envoyées par les sondes spatiales, nous avons maintenant une connaissance détaillée de la surface de Mars. Les engins qui ont atterri sur la planète ont fourni de belles images en couleurs et à haute résolution du désert martien rouge et rocheux, que les plus puissants télescopes terrestres ne peuvent voir. Les sondes en orbite montrent des canyons béants et d'énormes volcans, dont Olympus Mons (à gauche), qui, vu de la Terre, n'est qu'une tache de lumière.

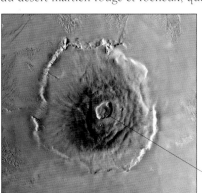

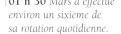

Le cratère d'Olympus Mons est large de 85 km.

CALOTTES POLAIRES

Ces calottes de glace, équivalents des régions arctique et antarctique sur la Terre, constituent les détails les plus faciles à repérer sur la surface martienne. Une lunette de 80 mm permet de les apercevoir, ainsi que les taches sombres des régions équatoriales, mais il faut un télescope plus puissant pour des observations un peu plus détaillées.

JUPITER

Jupiter est une planète géante qui se situe bien au-delà de la ceinture d'astéroïdes (pp. 78-79). Elle est formée de gaz et de liquide autour d'un noyau solide, et est plus grande que toutes les autres planètes réunies. Malgré son éloignement, Jupiter est visible depuis la Terre environ dix mois par an, grâce à la réflexion de la lumière solaire sur son épaisse atmosphère. Ses bandes de nuages colorés et mouvants constituent une vision fascinante au télescope.

DONNÉES PLANÉTAIRES

Mercure Vénus Terre Mars Jupiter Saturne Uranus Neptune Pluton

Diamètre équatorial
142 984 km

Distance moyenne au Soleil
778 330 000 km

Température au sommet des nuages
−150 °C

Lunes
16, dont les 4 lunes galiléennes

Période de rotation
9 heures et 55 minutes terrestres

Période orbitale
11,8 années terrestres

Gravité (Terre = 1)
2,64

Masse (Terre = 1)
318

LOCALISER JUPITER 1999-2010

Pour trouver Jupiter, utilisez la carte (ci-dessous) pour savoir dans quelle constellation la planète se trouve, puis utilisez le planisphère pour trouver la position de la constellation au moment et à la latitude qui vous concernent. Jupiter reste proche de l'écliptique et est facile à repérer à l'œil nu (seules la Lune et Vénus sont plus brillantes). Jupiter présente régulièrement un mouvement rétrograde.

SYMBOLES DE LA CARTE DE LOCALISATION

1999	2003	2007
2000	2004	2008
2001	2005	2009
2002	2006	2010

Chaque année porte une couleur différente. Les chiffres en blanc indiquent les mois, et correspondent au début du mois.

Exemples

⑦ Position de Jupiter le 1er juillet 2001

▸⑨ Position de Jupiter le 1er septembre 1999. La flèche indique un mouvement rétrograde.

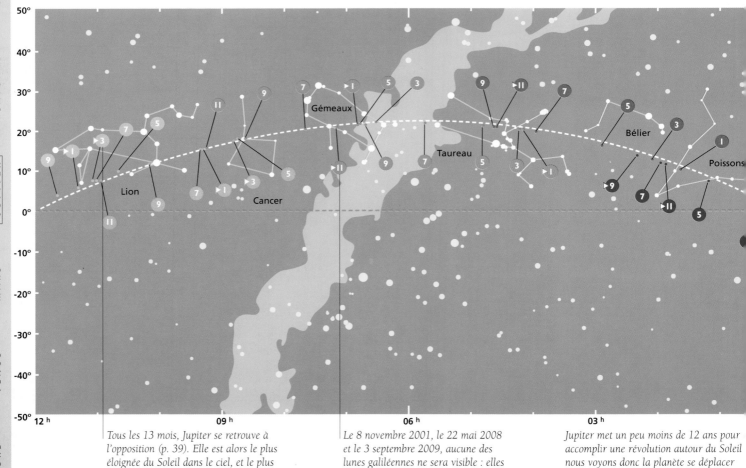

Gémeaux

Taureau

Bélier

Poissons

Lion

Cancer

12ʰ   09ʰ   06ʰ   03ʰ

Tous les 13 mois, Jupiter se retrouve à l'opposition (p. 39). Elle est alors le plus éloignée du Soleil dans le ciel, et le plus brillante, sa magnitude atteignant −2.

Le 8 novembre 2001, le 22 mai 2008 et le 3 septembre 2009, aucune des lunes galiléennes ne sera visible : elles seront toutes derrière la planète.

Jupiter met un peu moins de 12 ans pour accomplir une révolution autour du Soleil nous voyons donc la planète se déplacer d'une constellation chaque année.

LA SURFACE DE JUPITER

La surface que nous voyons depuis la Terre est formée de nuages de gaz : essentiellement de l'hydrogène, un peu d'hélium et des traces de méthane et d'ammoniac. La rotation rapide de la planète entraîne les nuages en bandes claires et sombres appelées respectivement zones et ceintures.

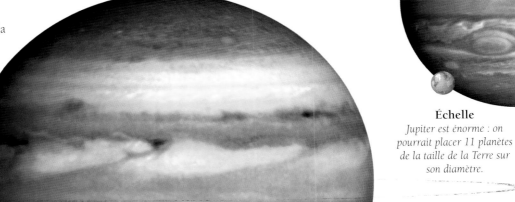

Échelle

Jupiter est énorme : on pourrait placer 11 planètes de la taille de la Terre sur son diamètre.

En 1979, la sonde Voyager 1 a découvert un système d'anneaux qui entourent la planète.

La grande tache rouge constitue la caractéristique la plus importante de la surface de Jupiter. C'est un furieux orage qui change constamment de taille et de couleur.

Les ceintures et zones adjacentes sont parcourues de vents opposés qui provoquent des tourbillons et des orages.

Les couleurs brillantes et sombres résultent peut-être de variations de température et de pression. Ces couleurs passent du bleu au brun, au blanc, puis au rouge, à mesure que les nuages montent et se refroidissent.

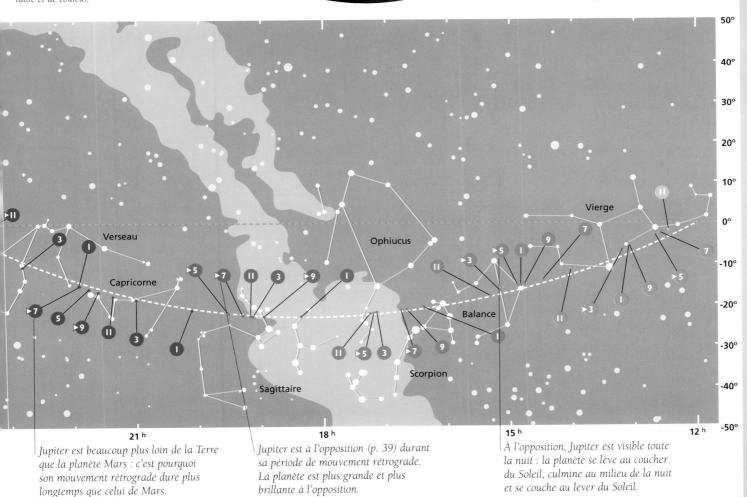

Jupiter est beaucoup plus loin de la Terre que la planète Mars : c'est pourquoi son mouvement rétrograde dure plus longtemps que celui de Mars.

Jupiter est à l'opposition (p. 39) durant sa période de mouvement rétrograde. La planète est plus grande et plus brillante à l'opposition.

À l'opposition, Jupiter est visible toute la nuit : la planète se lève au coucher du Soleil, culmine au milieu de la nuit et se couche au lever du Soleil.

OBSERVER JUPITER

Jupiter est une planète intéressante pour tous les observateurs : son éclat argenté est facilement repérable à l'œil nu, et sa forme de disque est visible avec des jumelles. Au télescope, il y a toujours quelque chose de nouveau à voir, l'aspect de la planète changeant constamment à cause de sa rotation rapide. Jupiter a de nombreuses lunes, dont les quatre plus grandes, appelées lunes galiléennes en hommage à l'astronome italien Galilée, sont assez brillantes pour qu'on puisse suivre avec des jumelles leur trajet autour de la planète.

Jupiter   Vénus

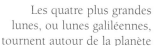

Jupiter et Vénus dans le ciel nocturne
Les deux planètes les plus brillantes, Jupiter et Vénus, sont ici proches de la Lune.

REGARDER JUPITER

👁 **À l'œil nu**
Jupiter resplendit dans le ciel nocturne. La planète est facile à repérer à l'œil nu, mais on ne distingue pas vraiment sa forme de disque. Elle n'est dépassée en éclat que par la Lune et Vénus.

🔭 **Avec des jumelles**
Sa forme de disque est visible. Les lunes galiléennes apparaissent comme de minuscules points lumineux. Elles s'alignent de part et d'autre de l'équateur de Jupiter, et leur position change au cours du temps.

LES LUNES DE JUPITER

Les quatre plus grandes lunes, ou lunes galiléennes, tournent autour de la planète à des vitesses différentes. Leur position change régulièrement, comme c'est illustré ici pour quatre nuits. Elles disparaissent parfois en passant derrière la planète.

Io
Io, la lune galiléenne la plus proche de Jupiter, tourne autour de cette dernière en moins de 2 jours.

Callisto
La plus éloignée des quatre, Callisto tourne autour de Jupiter en un peu moins de 17 jours.

🔭 **Au télescope**
Les ceintures et les zones de la surface de Jupiter sont visibles, avec les couleurs bien connues, brun-rouge et jaune ocre. On peut observer les changements de la surface.

💻 **Sur une image CCD**
On voit les orages individuels, et en particulier la grande tache rouge. Le renflement équatorial, qui donne à la planète sa forme légèrement ovale, est bien visible.

Ganymède
Plus grosse que Mercure, Ganymède est la plus grande lune du système solaire et présente une surface complexe.

Europe
Cette lune est plus petite que notre Lune, et sa surface glacée est lisse.

LA GRANDE TACHE ROUGE

C'est la caractéristique la plus remarquable de Jupiter, et elle a été découverte il y a plus de 300 ans. En réalité, la grande tache rouge est un énorme orage, dont la couleur et la taille évoluent sur plusieurs décennies. Elle est plus grande que la Terre, atteignant, à son maximum, trois diamètres terrestres. Sa couleur, qui varie du gris-rose au rouge sombre, vient probablement du phosphore remontant de la basse atmosphère.

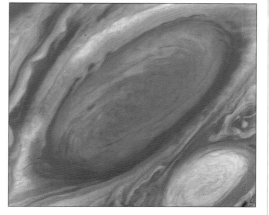

La grande tache rouge vue par une sonde spatiale

LA ROTATION DE JUPITER

Jupiter tourne plus vite qu'aucune autre planète, accomplissant une rotation en un peu moins de dix heures. Elle ne tourne pas comme un corps solide : les régions équatoriales tournent plus vite, un tour en 9 heures et 50 minutes, alors que les régions nord et sud, y compris la grande tache rouge, mettent cinq minutes de plus.

La grande tache rouge met environ deux heures et demie pour passer du bord au centre du disque.

Jupiter tourne de gauche à droite, mais son image télescopique renversée paraît tourner de droite à gauche.

Les points noirs sont les ombres des lunes galiléennes.

La grande tache rouge est ici au centre du disque.

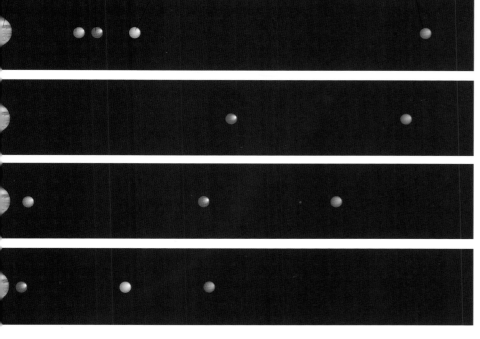

Jupiter   Io   Ganymède   Europe   Callisto

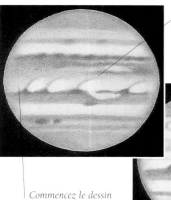

On peut noter la couleur et la largeur des bandes.

La grande tache rouge est en haut parce qu'on observe la planète au télescope.

Commencez le dessin par le côté ouest, qui disparaît le premier.

Garder une trace

Le dessin vous permettra de garder une trace de vos observations et d'améliorer votre connaissance de la planète. Observez environ 15 minutes avant de commencer votre dessin, puis dessinez pendant encore 15 minutes : au-delà, l'image commencera à changer à cause de la rotation rapide de Jupiter.

ÉPOQUES D'OBSERVATION

Le meilleur moment pour observer Jupiter est l'opposition (p. 39). La planète est alors éclairée de face par le Soleil, et brille au maximum. Les dates d'opposition sont indiquées ci-dessous.

JUPITER À L'OPPOSITION

23 oct. 1999	4 mai 2006
28 nov. 2000	5 juin 2007
1er janv. 2002	9 juill. 2008
2 févr. 2003	14 août 2009
4 mars 2004	21 sept. 2010
3 avril 2005	

SATURNE

Sixième planète à partir du Soleil, Saturne est
une géante gazeuse, comme Jupiter. Bien qu'elle
soit presque deux fois plus loin de la Terre que
Jupiter, sa taille immense la rend visible à l'œil nu
pendant environ 10 mois par an. Saturne possède
un impressionnant système d'anneaux ainsi que la
plus grande famille de lunes de toutes les planètes
du système solaire.

DONNÉES PLANÉTAIRES

Diamètre équatorial
120 536 km

Distance moyenne au Soleil
1 426 980 000 km

Température au sommet des nuages
−180 °C

Lunes
Au moins 18

Période de rotation
10 heures et 40 minutes terrestres

Période orbitale
26,46 années terrestres

Gravité (Terre = 1)
0,93

Masse (Terre = 1)
95,17

LOCALISER SATURNE 1999-2010

Pour trouver Saturne, utilisez la carte (ci-dessous) pour savoir dans
quelle constellation se trouve la planète, puis utilisez le planisphère
pour trouver la position exacte de la constellation au moment et à la
latitude qui vous concernent. Saturne apparaît à l'œil nu comme
une étoile. À cause de son éloignement, la planète se déplace très
lentement dans le ciel, d'ouest en est (de droite à gauche sur la
carte), avec régulièrement un mouvement rétrograde.

SYMBOLES DE LA CARTE DE LOCALISATION

1999	2003	2007	**Exemples**
2000	2004	2008	Position de Saturne le 1er novembre 2006
2001	2005	2009	Position de Saturne le 1er mars 2008. La flèche indique un mouvement rétrograde.
2002	2006	2010	

Chaque année porte une couleur différente. Les chiffres en
blanc indiquent les mois, et correspondent au début du mois.

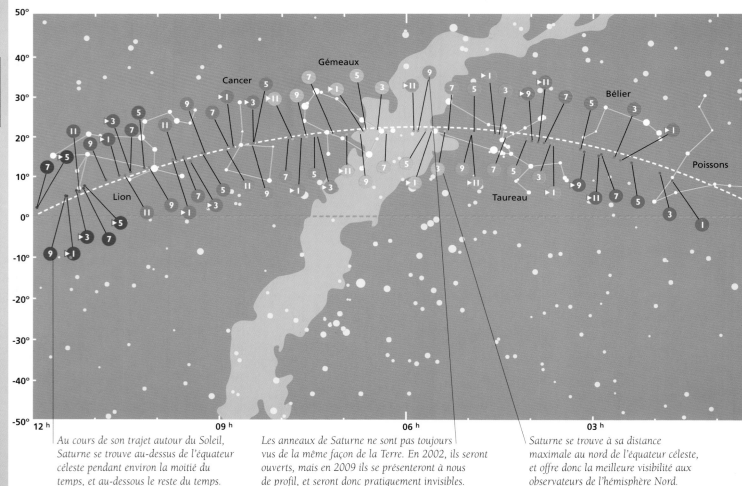

*Au cours de son trajet autour du Soleil,
Saturne se trouve au-dessus de l'équateur
céleste pendant environ la moitié du
temps, et au-dessous le reste du temps.*

*Les anneaux de Saturne ne sont pas toujours
vus de la même façon de la Terre. En 2002, ils seront
ouverts, mais en 2009 ils se présenteront à nous
de profil, et seront donc pratiquement invisibles.*

*Saturne se trouve à sa distance
maximale au nord de l'équateur céleste,
et offre donc la meilleure visibilité aux
observateurs de l'hémisphère Nord.*

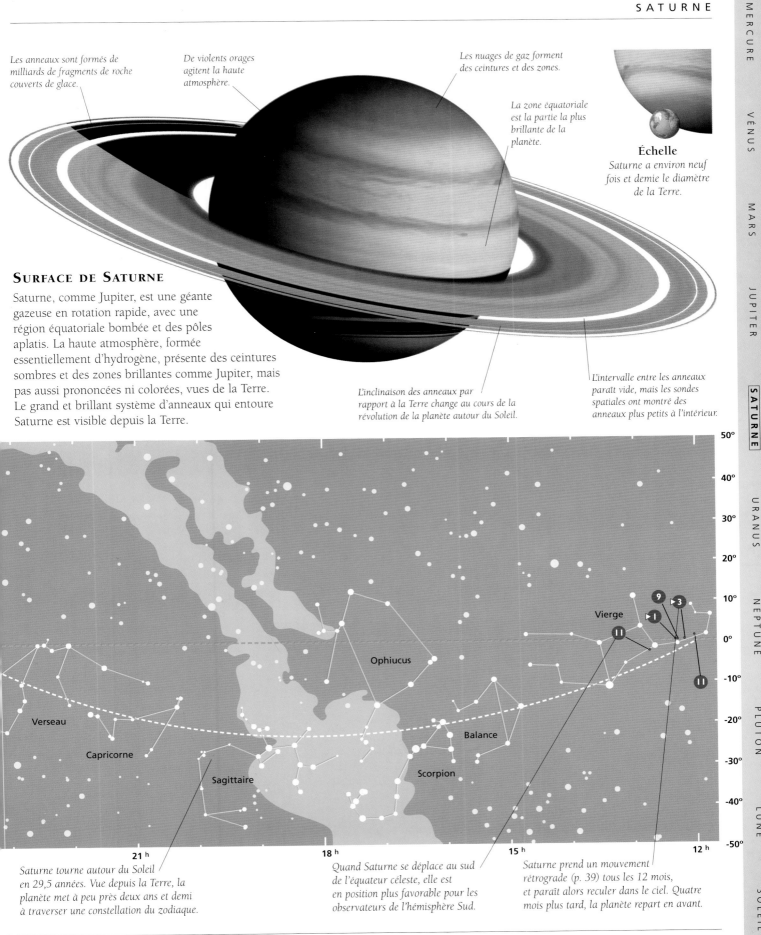

Les anneaux sont formés de
milliards de fragments de roche
couverts de glace.

De violents orages
agitent la haute
atmosphère.

Les nuages de gaz forment
des ceintures et des zones.

La zone équatoriale
est la partie la plus
brillante de la
planète.

Échelle
*Saturne a environ neuf
fois et demie le diamètre
de la Terre.*

SURFACE DE SATURNE

Saturne, comme Jupiter, est une géante
gazeuse en rotation rapide, avec une
région équatoriale bombée et des pôles
aplatis. La haute atmosphère, formée
essentiellement d'hydrogène, présente des ceintures
sombres et des zones brillantes comme Jupiter, mais
pas aussi prononcées ni colorées, vues de la Terre.
Le grand et brillant système d'anneaux qui entoure
Saturne est visible depuis la Terre.

*L'inclinaison des anneaux par
rapport à la Terre change au cours de la
révolution de la planète autour du Soleil.*

*L'intervalle entre les anneaux
paraît vide, mais les sondes
spatiales ont montré des
anneaux plus petits à l'intérieur.*

Vierge

Ophiucus

Verseau

Capricorne

Sagittaire

Balance

Scorpion

21 h 18 h 15 h 12 h

*Saturne tourne autour du Soleil
en 29,5 années. Vue depuis la Terre, la
planète met à peu près deux ans et demi
à traverser une constellation du zodiaque.*

*Quand Saturne se déplace au sud
de l'équateur céleste, elle est
en position plus favorable pour les
observateurs de l'hémisphère Sud.*

*Saturne prend un mouvement
rétrograde (p. 39) tous les 12 mois,
et paraît alors reculer dans le ciel. Quatre
mois plus tard, la planète repart en avant.*

Sidebar (left margin): SOLEIL · LUNE · PLUTON · NEPTUNE · URANUS · **SATURNE** · JUPITER · MARS · VÉNUS · MERCURE

OBSERVER SATURNE

Saturne est une énorme planète, mais qui paraît petite dans le ciel à cause de son éloignement. Elle est néanmoins assez brillante pour être visible à l'œil nu, mais il faut un télescope pour voir les détails de sa surface. À la différence de Jupiter, Saturne ne présente pas de variations globales rapides, mais on peut observer des changements à long terme dans la visibilité et la brillance de ses ceintures et de ses zones. On peut observer de temps à autre une sévère perturbation dans la haute atmosphère. Notre vision des anneaux dépend de la position de la Terre par rapport à l'orbite de Saturne autour du Soleil.

REGARDER SATURNE

👁 À l'œil nu

Saturne a l'aspect d'une étoile, et sa magnitude varie de –0,3 au maximum à 0,8 au minimum, selon l'orientation des anneaux : quand ils regardent la Terre, ils réfléchissent plus de lumière.

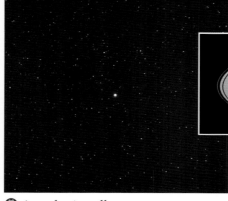

🔭 Avec des jumelles

Avec des jumelles, la forme du disque de Saturne apparaît. De bonnes jumelles montreront les anneaux sous forme d'un renflement de chaque côté de la planète.

🔭 Au télescope

Avec un petit télescope, le disque de Saturne est très nettement visible, et on discerne le système d'anneaux. Il faut un plus grand télescope pour distinguer des détails.

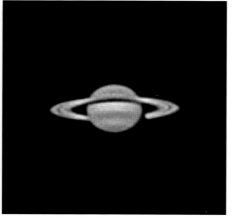

📷 Sur une image CCD

Avec une caméra CCD, la planète découvre ses bandes, et on peut voir la nature et l'orientation des anneaux comme un système bien distinct de la planète elle-même.

UNE VUE CHANGEANTE

Au cours du mouvement de Saturne et de la Terre autour du Soleil, notre vision de la planète et de ses anneaux varie. Le système d'anneaux peut se présenter à nous de profil, ou bien nous pouvons le voir de dessus ou de dessous. Le cycle complet dure 29,5 ans.

1999 *Les anneaux de Saturne commencent à s'ouvrir, et le pôle Sud s'incline vers le Soleil.*

2002 *Les anneaux sont ouverts. L'intervalle entre les anneaux, la division de Cassini, est visible.*

2006 *Le pôle Sud de Saturne s'éloigne du Soleil, et les anneaux semblent se fermer. (Sur ce schéma, le pôle Nord est en haut.)*

ÉPOQUES D'OBSERVATION

Le meilleur moment pour observer Saturne est l'opposition (p. 39). Cela se produit tous les ans, environ deux semaines plus tard chaque année. Les oppositions les plus favorables auront lieu en 2001 et 2006.

DATES D'OPPOSITION

6 nov. 1999	27 janv. 2006
19 nov. 2000	10 févr. 2007
3 déc. 2001	24 févr. 2008
17 déc. 2002	8 mars 2009
31 déc. 2003	22 mars 2010
13 janv. 2005	

2025 *Les anneaux sont à nouveau de profil. Cela se produit environ tous les 14,75 ans.*

Saturne dans le ciel nocturne
À l'œil nu, Saturne (au centre) ne se distingue pas d'une étoile brillante. Pour être sûr d'identifier la planète, vous devez vous familiariser avec les étoiles de la constellation où vous savez qu'elle se trouve.

Orbite de Saturne

Terre

Soleil

Ligne de visée

Orbite de la Terre

Saturne

2021 *L'intervalle entre la planète et les anneaux commence à disparaître.*

2017 *Les anneaux se sont ouverts. Le pôle Nord est incliné vers le Soleil.*

2013 *Les anneaux commencent à s'ouvrir à nouveau, et le pôle Nord s'incline vers le Soleil.*

Titan
Titan, l'une des lunes de Saturne, a une atmosphère d'azote. C'est la deuxième lune du système solaire par la taille.

2009 *Le système d'anneaux se présente de profil pour la Terre, et a pratiquement disparu.*

Image des anneaux en couleurs accentuées

LES ANNEAUX DE SATURNE

Les sondes spatiales ont montré un système complexe d'anneaux entourant Saturne, avec de petites lunes dans les anneaux externes. Les trois anneaux principaux sont visibles au télescope depuis la Terre, de même que l'intervalle qui sépare deux de ceux-ci. Cet intervalle, nommé division de Cassini, d'après le nom de l'astronome qui le découvrit, est large de quelque 4 800 km. Les trois anneaux peuvent paraître petits vus de la Terre, mais ils sont en réalité très vastes : leur diamètre représente les deux tiers de la distance de la Terre à la Lune. L'épaisseur des anneaux est inférieure à 2 km.

LES LUNES DE SATURNE

Saturne a au moins 18 lunes. Même avec un grand télescope, on en voit moins de dix. Elles apparaissent comme des points lumineux autour de la planète. La plus grande, Titan, est la plus facile à voir.

| Titan | Rhéa | Dioné | Téthys |

URANUS, NEPTUNE ET PLUTON

Les planètes les plus externes – Uranus, Neptune et Pluton – sont éloignées, peu lumineuses et difficiles à trouver. Pour être sûr de les identifier, suivez leur déplacement sur le fond des étoiles. Uranus, la plus proche des trois, est visible à l'œil nu ; plus faible et plus lointaine, Neptune peut être vue avec des jumelles ou un télescope, et Pluton est si petite qu'il faut un grand télescope pour la voir.

LOCALISER URANUS, NEPTUNE ET PLUTON 1999-2010

Uranus et Neptune restent proches de l'écliptique, mais Pluton s'en écarte. Utilisez les cartes ci-dessous pour trouver la constellation où chaque planète se trouve, puis utilisez le planisphère pour trouver la position de la constellation au moment et à la latitude qui vous concernent. Uranus, de magnitude 5,5, est visible à l'œil nu. Neptune, de magnitude 7,8, et Pluton, de magnitude 14,5, sont moins lumineuses que les étoiles de ces cartes.

DONNÉES PLANÉTAIRES

URANUS	NEPTUNE	PLUTON
Diamètre équatorial	Diamètre équatorial	Diamètre équatorial
51 118 km	49 528 km	2 300 km
Distance moyenne au Soleil	Distance moyenne au Soleil	Distance moyenne au Soleil
2 871 000 000 km	4 497 000 000 km	5 913 520 000 km
Période orbitale	Période orbitale	Période orbitale
84,01 années terrestres	164,8 années terrestres	248,5 années terrestres

SYMBOLES DES CARTES DE LOCALISATION

1999	2003	2007	Exemples
2000	2004	2008	Position d'Uranus le 1er avril 2001
2001	2005	2009	Position d'Uranus le 1er octobre 1999. La flèche indique un mouvement rétrograde (p. 39).
2002	2006	2010	

Chaque année porte une couleur différente. Les chiffres en blanc indiquent le début de janvier, d'avril, de juillet et d'octobre.

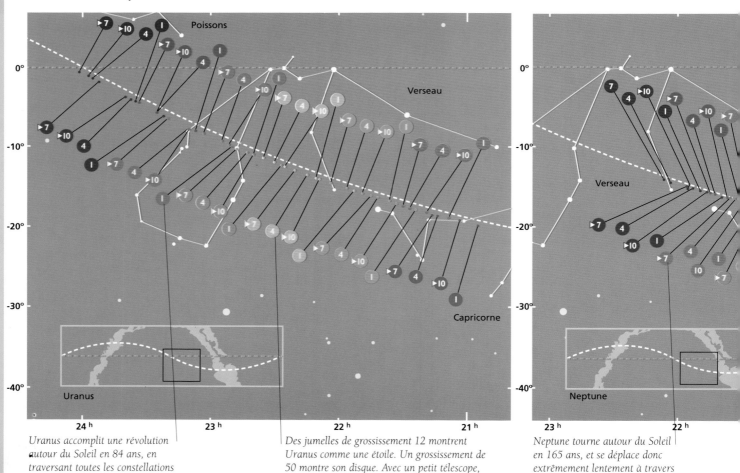

Uranus accomplit une révolution autour du Soleil en 84 ans, en traversant toutes les constellations du zodiaque.

Des jumelles de grossissement 12 montrent Uranus comme une étoile. Un grossissement de 50 montre son disque. Avec un petit télescope, la couleur verte de la planète apparaît.

Neptune tourne autour du Soleil en 165 ans, et se déplace donc extrêmement lentement à travers les constellations du zodiaque.

URANUS

Uranus est une grosse planète gazeuse, dont la couleur vient de nuages d'hydrogène, d'hélium et de méthane. Elle est couchée sur le côté, et présente un système d'anneaux et une famille de lunes, dont les cinq plus grandes sont visibles avec un grand télescope.

PLUTON

Pluton est si éloignée et si petite qu'on n'a jamais pu observer sa surface depuis la Terre, et aucune sonde spatiale ne s'en est approchée. On pense que c'est un monde gelé, formé de roc et de glace. La planète a une lune, Charon.

Échelle
Le diamètre d'Uranus équivaut environ à quatre fois celui de la Terre.

NEPTUNE

Autre géante gazeuse, Neptune a été étudiée de près par Voyager 2 en 1989. Elle est semblable à Uranus, mais plus bleue et plus petite. Neptune possède aussi de nombreuses lunes, dont Triton.

De brillants cirrus de méthane apparaissent à la surface de Neptune.

Échelle
Le diamètre de Neptune est environ quatre fois celui de la Terre.

Les images des sondes spatiales ont montré qu'Uranus était un globe pratiquement uni.

Neptune a au moins quatre anneaux faibles.

La Grande Tache sombre est un énorme orage atmosphérique.

Échelle
Le diamètre de Pluton est égal à moins d'un cinquième de celui de la Terre.

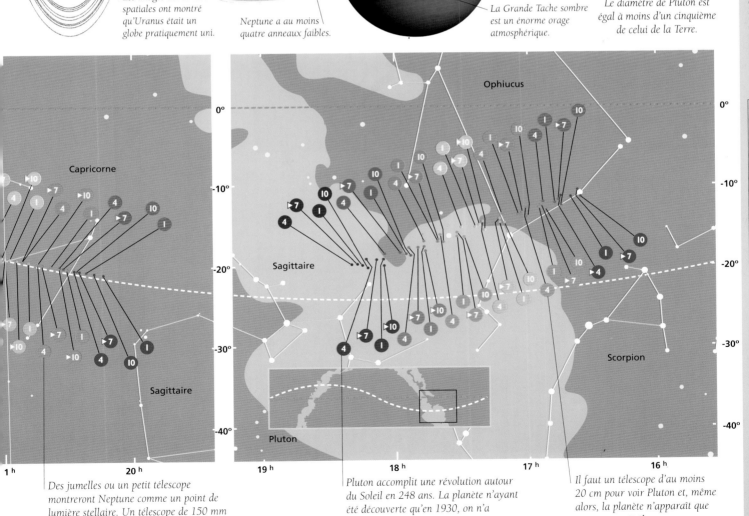

Des jumelles ou un petit télescope montreront Neptune comme un point de lumière stellaire. Un télescope de 150 mm montrera le disque bleu-vert de la planète.

Pluton accomplit une révolution autour du Soleil en 248 ans. La planète n'ayant été découverte qu'en 1930, on n'a observé qu'une petite partie de sa course.

Il faut un télescope d'au moins 20 cm pour voir Pluton et, même alors, la planète n'apparaît que comme une étoile.

LA LUNE

La Lune est le satellite naturel de la Terre ; elle nous apparaît incontestablement comme le plus grand objet du ciel nocturne. C'est une boule rocheuse constellée de cratères, dont la taille est environ le quart de celle de la Terre, et qui accompagne cette dernière sur son orbite autour du Soleil. La Lune n'émet pas de lumière, mais réfléchit celle du Soleil. Chaque jour, le disque lunaire présente une forme différente. Ces formes sont appelées « phases » ; un cycle complet, d'une nouvelle lune à l'autre en passant par la pleine lune, dure 29,5 jours.

8 Croissant
Une mince tranche de Lune éclairée par le Soleil est visible. La Lune est dite décroissante (sa phase diminue).

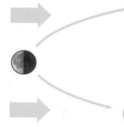

Lumière solaire

1 Nouvelle lune
La face de la Lune tournée vers la Terre n'est pas éclairée, et ne nous est donc pas visible.

REGARDER LA LUNE

👁 **À l'œil nu**
En dehors de la nouvelle lune, on repère facilement la Lune dans le ciel, quelle que soit sa phase. Des taches sombres et claires sont visibles à sa surface, et elle se déplace rapidement dans le ciel.

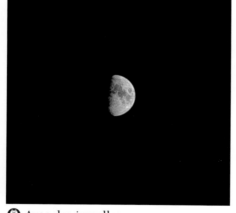

🔭 **Avec des jumelles**
On peut encore voir la Lune tout entière, mais elle paraît déjà beaucoup plus proche : on distingue davantage de détails de sa surface, ainsi que le relief au terminateur.

2 Croissant
Un fin croissant du côté de la Lune éclairé par le Soleil est visible. La Lune est dite croissante (sa phase augmente).

LES PHASES DE LA LUNE

Durant la révolution de la Lune autour de la Terre, nous voyons une fraction variable de son côté éclairé par le Soleil. Pendant ces phases, le côté de la Lune visible de la Terre commence par augmenter (la Lune est croissante), puis diminue (la Lune est décroissante).

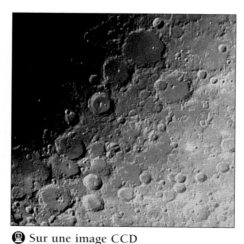

🔭 **Au télescope**
Observés au télescope, les détails de la surface lunaire sont bien visibles. Les particularités du relief, les cratères, par exemple, sont nettes et faciles à voir.

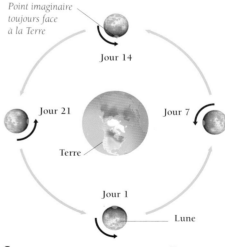

🖥 **Sur une image CCD**
La vue est maintenant si nette et claire que les ombres portées par les régions plus élevées apparaissent. On distingue aussi très bien de fins détails comme les pics centraux des cratères.

Point imaginaire toujours face à la Terre

Jour 14

Jour 21

Jour 7

Terre

Jour 1

Lune

LA FACE VISIBLE DE LA LUNE

Nous ne voyons jamais depuis la Terre qu'une seule face (la face visible) de la Lune, parce que cette dernière met exactement le même temps à effectuer une rotation sur son axe qu'une révolution autour de la Terre.

7 Dernier quartier
Une moitié seulement de la Lune est éclairée. On appelle cette phase le dernier quartier parce qu'il ne reste plus qu'un quart du cycle.

6 Gibbeuse
La Lune a accompli plus de la moitié de son cycle de phases ; elle est dite gibbeuse décroissante.

Échelle
Le diamètre de la Lune est de 3 476 km, à peu près le quart de celui de la Terre.

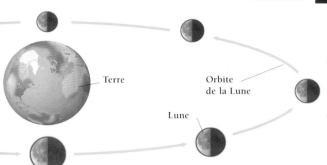

Terre

Orbite de la Lune

Lune

5 Pleine lune
La Lune, maintenant du côté de la Terre opposé au Soleil, est complètement éclairée. De la Terre, nous voyons donc tout son disque.

LA LUNE EN PLEIN JOUR
Pendant une partie du mois, la Lune est visible dans le ciel diurne. Elle est alors moins brillante, mais on peut voir les détails de sa surface.

4 Gibbeuse
On peut voir environ les trois quarts du côté éclairé de la Lune. Cette phase est dite gibbeuse croissante.

3 Premier quartier
La moitié de la Lune est éclairée. Les termes « premier quartier » indiquent que la Lune a accompli le quart de son orbite.

LE TERMINATEUR
On appelle ainsi la frontière entre les parties éclairée et sombre de la Lune. Le relief lunaire est accentué par l'éclairage rasant le long de cette ligne, qui balaie le disque lunaire au cours du déroulement des phases.

Les cratères et les montagnes sont mis en relief le long du terminateur.

LA LUNE DANS LE CIEL
Sur les cartes de la Lune, le nord est très souvent en haut. Toutefois, les observateurs de l'hémisphère austral voient le pôle Sud en haut.

Pleine lune
La Lune est brillante, mais son relief apparaît indistinct dans la violente lumière solaire, et la pleine lune n'est pas un moment favorable à l'observation.

DONNÉES LUNAIRES

Diamètre équatorial 3 476 km	**Période orbitale** 27,3 jours terrestres
Distance moyenne à la Terre 384 500 km	**Gravité (Terre = 1)** 0,16
Température à la surface −155 °C à 105 °C	**Masse (Terre = 1)** 0,012
Période de rotation 27,3 jours terrestres	**Intervalle entre deux nouvelles lunes** 29,5 jours terrestres

OBSERVER LA LUNE 1

La Lune est un monde mort, rocheux, dépourvu d'air et d'eau. Le paysage lunaire est resté pratiquement inchangé depuis des millions d'années. Peu après sa formation, la Lune a été bombardée par des rochers spatiaux qui ont formé des cratères, tandis que les plissements de son écorce créaient des montagnes. Plus tard, de la lave a suinté de l'intérieur de la Lune et rempli certains cratères, formant des zones plates et sombres baptisées « mers ».

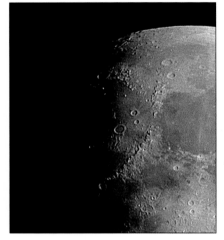

◗ 🌼 **La mer des Pluies**
Il y a quelque 3,8 milliards d'années, cette plaine sombre était un gigantesque cratère d'environ 1 000 km de diamètre, mais la lave l'a inondé. Des cratères plus récents, comme Archimède, s'y sont formés. On peut observer la mer des Pluies avec des jumelles ou un télescope.

◗ 🛰 **Archimède**
Ce cratère d'environ 80 km de largeur est le plus grand des trois cratères situés sur le bord oriental de la mer des Pluies. Ses murs sont bien visibles sur cette vue télescopique.

19
Jura
Golfe des Iris
Mer des Pluies
20
Carpathes
Apen
18
21
Océan des Tempêtes
24
Mer des Humeurs
23
Mer des Nuées
16
26
25

Tycho est un cratère à raies, spectaculaire avec des jumelles.

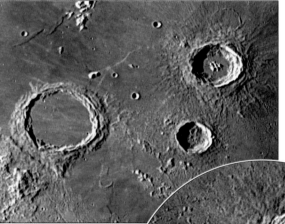

Copernic ◗ 🛰
Ce cratère est parfois visible à l'œil nu. Autour de l'enceinte externe de 97 km, le matériau éjecté du cratère forme des raies. Des jumelles montrent clairement le cratère, et l'on en distingue les hauts murs en terrasses et les montagnes centrales avec un télescope.

◗ 🛰 **Clavius**
C'est un des plus grands cratères de la Lune, avec 230 km de largeur. À l'intérieur de ses murs, on trouve plusieurs cratères plus petits.

MERCURE

VÉNUS

MARS

JUPITER

SATURNE

URANUS

NEPTUNE

PLUTON

LUNE

SOLEIL

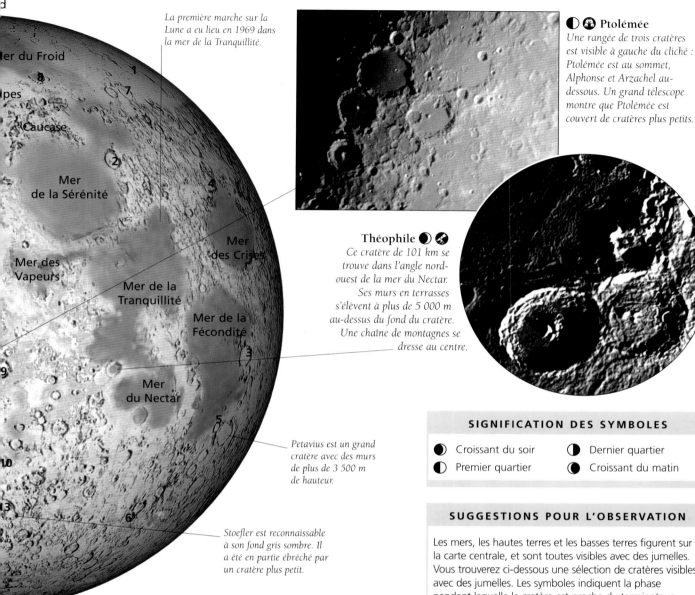

La première marche sur la Lune a eu lieu en 1969 dans la mer de la Tranquillité.

Mer du Froid

pes

Caucase

Mer de la Sérénité

Mer des Vapeurs

Mer de la Tranquillité

Mer des Crises

Mer de la Fécondité

Mer du Nectar

◗ ☾ Ptolémée
Une rangée de trois cratères est visible à gauche du cliché : Ptolémée est au sommet, Alphonse et Arzachel au-dessous. Un grand télescope montre que Ptolémée est couvert de cratères plus petits.

Théophile ◑ ◢
Ce cratère de 101 km se trouve dans l'angle nord-ouest de la mer du Nectar. Ses murs en terrasses s'élèvent à plus de 5 000 m au-dessus du fond du cratère. Une chaîne de montagnes se dresse au centre.

Petavius est un grand cratère avec des murs de plus de 3 500 m de hauteur.

Stoefler est reconnaissable à son fond gris sombre. Il a été en partie ébréché par un cratère plus petit.

SIGNIFICATION DES SYMBOLES

◑ Croissant du soir   ◐ Dernier quartier

◐ Premier quartier   ◔ Croissant du matin

SUGGESTIONS POUR L'OBSERVATION

Les mers, les hautes terres et les basses terres figurent sur la carte centrale, et sont toutes visibles avec des jumelles. Vous trouverez ci-dessous une sélection de cratères visibles avec des jumelles. Les symboles indiquent la phase pendant laquelle le cratère est proche du terminateur.

1 ◐ Endymion		14 ◑ Platon	
2 ◐ Posidonius		15 ◑ Alphonse	
3 ◑ Langrenus		16 ◑ Tycho	
4 ◐ Cleomedes		17 ◑ Maginus	
5 ◐ Petavius		18 ◑ Ératosthène	
6 ◐ Janssen		19 ◑ Pythagore	
7 ◑ Atlas		20 ◑ Aristarque	
8 ◑ Aristote		21 ◔ Képler	
9 ◑ Albategni		22 ◔ Grimaldi	
10 ◐ Aliacensis		23 ◑ Bouillaud	
11 ◑ Ptolémée		24 ◔ Gassendi	
12 ◑ Aristillus		25 ◔ Schiller	
13 ◑ Stoefler		26 ◑ Longomontanus	

DESSINER LA LUNE

Dessiner la surface de la Lune constitue un bon entraînement à l'observation astronomique précise, et vous apprendra beaucoup sur notre satellite. À l'œil nu ou avec des jumelles, vous pouvez dessiner les zones claires et sombres de la surface lunaire, et enregistrer le cycle des phases, avec les repères les plus visibles à chaque phase. Les observateurs équipés d'un télescope peuvent dessiner en détail un cirque ou une mer.

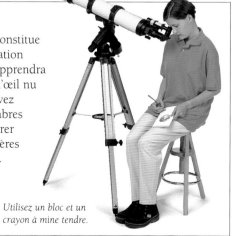

Utilisez un bloc et un crayon à mine tendre.

SOLEIL

LUNE

PLUTON

NEPTUNE

URANUS

SATURNE

JUPITER

MARS

VÉNUS

MERCURE

OBSERVER LA LUNE 2

La Lune est toujours fascinante à observer. Bien que nous n'en voyions toujours qu'un côté depuis la Terre, ce dernier change constamment, le Soleil l'éclairant sous des angles différents au cours des phases (pp. 62-63). Parfois, la Terre empêche la lumière solaire d'atteindre la Lune, provoquant une éclipse de Lune. Dans ce cas, la Lune s'assombrit, mais, au lieu de disparaître, prend une couleur rougeâtre spectaculaire. Au voisinage de la nouvelle lune, on peut voir le phénomène de la lumière cendrée, dû à l'éclairement de la Lune par la Terre (« clair de Terre »).

ÉCLIPSE DE LUNE

Une éclipse de Lune se produit quand cette dernière passe dans l'ombre de la Terre. La Lune peut être entièrement dans l'ombre (éclipse totale), ou seulement en partie (éclipse partielle). Il peut y avoir jusqu'à trois éclipses de Lune par an. Contrairement aux éclipses de Soleil, une éclipse de Lune est visible de la même manière partout sur terre et aucun équipement spécial n'est nécessaire pour l'observer.

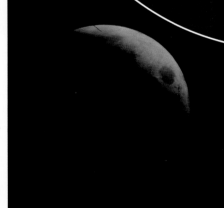

La couleur et la luminosité de la surface lunaire dépendent de l'atmosphère terrestre.

L'ombre de la Terre arrive sur la Lune.

La moitié de la Lune reste éclairée par le Soleil.

Seul un fin croissant demeure éclairé.

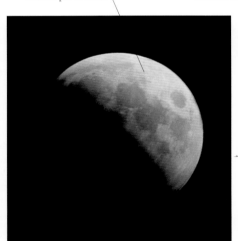

Éclipse de Lune : stade 1
La pleine lune se déplace dans le ciel nocturne : son bord inférieur vient d'entrer dans l'ombre de la Terre.

Éclipse de Lune : stade 2
La moitié du disque lunaire environ se trouve dans l'ombre de la Terre. La Lune rougit.

Éclipse de Lune : stade 3
La Lune est presque totalement occultée ; bientôt l'ombre de la Terre la couvrira entièrement.

MÉCANISME D'UNE ÉCLIPSE DE LUNE

Quand le Soleil, la Terre et la Lune sont alignés, la Terre empêche la lumière solaire d'atteindre la Lune et son ombre est projetée sur la Lune. Si la Lune est tout entière dans l'ombre dense, elle ne reçoit plus de lumière, et l'éclipse est totale. Si une partie seulement du disque lunaire est dans l'ombre dense, l'éclipse est partielle.

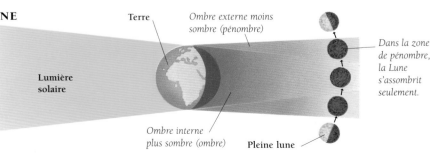

Terre

Ombre externe moins sombre (pénombre)

Dans la zone de pénombre, la Lune s'assombrit seulement.

Lumière solaire

Ombre interne plus sombre (ombre)

Pleine lune

La lumière diffusée autour de la Terre par son atmosphère peut éclairer la surface de la Lune.

LA FACE CACHÉE DE LA LUNE

Grâce aux clichés pris par les sondes spatiales, nous connaissons la face cachée de la Lune, que nous ne pouvons jamais voir de la Terre, sur laquelle il y a de nombreux cratères, mais peu de grandes mers. En fait, nous pouvons voir une petite partie de la face cachée, car les oscillations de la Lune nous montrent 59 % de sa surface au cours de sa révolution.

Tsiolkovsky est un vaste cratère de 180 km de largeur, au fond sombre.

La mer Moscovite est l'une des rares mers de la face cachée de la Lune.

Éclipse totale de Lune
Durant une éclipse, la Lune prend parfois une coloration rouge. Cette éclipse totale de Lune a eu lieu le 9 décembre 1992.

CLAIR DE TERRE

La Terre et la Lune ne brillent que par la lumière qu'elles reçoivent du Soleil. Vers la nouvelle lune, la lumière réfléchie de la Terre sur la Lune provoque un « clair de Terre », la lumière cendrée.

OBSERVER UNE ÉCLIPSE DE LUNE

Une éclipse de Lune peut durer jusqu'à quatre heures en tout, et être totale pendant 1 heure et 47 minutes ; pourvu que la Lune soit levée et le ciel sans nuages, vous devriez la voir parfaitement. Les dates qui suivent indiquent les éclipses totales et partielles, qui seront visibles des deux hémisphères.

DATES DES ÉCLIPSES DE LUNE

Éclipses totales	Éclipses partielles
21 janv. 2000	28 juill. 1999
16 juill. 2000	5 juill. 2001
9 janv. 2001	17 oct. 2005
16 mai 2003	7 sept. 2006
8-9 nov. 2003	16 août 2008
4 mai 2004	31 déc. 2009
28 oct. 2004	26 janv. 2010
3-4 mars 2007	
28 août 2007	
21 févr. 2008	
21 déc. 2010	

OCCULTATIONS LUNAIRES

Au cours de son trajet rapide à travers notre ciel, la Lune passe parfois devant des étoiles ou des planètes, beaucoup plus éloignées, occultant leur lumière pour un moment.

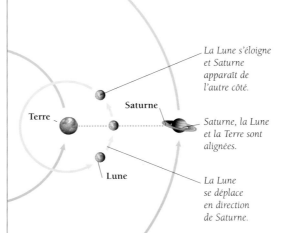

Terre
Saturne
Lune

La Lune s'éloigne et Saturne apparaît de l'autre côté.

Saturne, la Lune et la Terre sont alignées.

La Lune se déplace en direction de Saturne.

Occultation de Saturne, 1977
Un objet occulté, ici Saturne (pp. 56-59), peut être observé lors de sa disparition derrière le bord de la Lune, puis lors de sa réapparition de l'autre côté.

SOLEIL

LUNE

PLUTON

NEPTUNE

URANUS

SATURNE

JUPITER

MARS

VÉNUS

MERCURE

LE SOLEIL

Le Soleil est l'étoile la plus proche de la Terre, et la seule qui puisse être observée en détail. C'est une énorme boule incandescente, constituée essentiellement d'hydrogène. Au centre du Soleil, l'hydrogène se transforme en hélium à des températures fantastiques, produisant l'énergie que nous recevons sur terre sous forme de lumière et de chaleur. La forte luminosité du Soleil en fait un objet dangereux à observer, mais, avec des précautions adéquates, on peut voir les détails de sa surface.

DONNÉES SOLAIRES

Diamètre équatorial 1 392 000 km	**Période de rotation aux pôles** 35 jours terrestres
Température moyenne à la surface 5 500 °C	**Distance à la Terre** 149 680 000 km
Période de rotation à l'équateur 25 jours terrestres	**Masse (Terre = 1)** 330 000

OBSERVER LE SOLEIL SANS RISQUE

Pour observer le Soleil il faut utiliser un filtre, ou faire une projection : il existe des filtres pour les télescopes (p. 27), mais la méthode de la projection est meilleure, car elle n'implique pas de regarder directement le Soleil, éliminant ainsi tout risque.

L'image du Soleil est projetée sur le carton.

Avec des jumelles
On peut utiliser l'oculaire des jumelles pour projeter l'image du Soleil sur un morceau de carton faisant office d'écran.

Étape 1
Placez un morceau de carton à environ 50 cm de l'oculaire. Par sécurité, couvrez le chercheur.

Étape 2
Tirez doucement l'oculaire hors du tube du télescope jusqu'à ce que l'image soit nette.

Avec un télescope
Si vous possédez un télescope, vous pouvez en toute sécurité projeter l'image du Soleil sur un écran, à travers l'oculaire. Dirigez l'objectif du télescope vers le Soleil.

LA SURFACE DU SOLEIL

La partie externe, brillante, que nous voyons de la Terre, s'appelle la photosphère. Elle est de couleur jaune, à cause de la température de la surface, environ 5 500 °C. Malgré sa rotation rapide compte tenu de sa taille, le Soleil ne gonfle pas à l'équateur et conserve une forme parfaitement sphérique.

Terre

Échelle
La Terre est minuscule à côté du Soleil : on pourrait l'aligner 100 fois sur un diamètre solaire, et il en faudrait 1,3 million pour remplir le volume du Soleil.

ATTENTION

Ne regardez jamais le Soleil directement, à l'œil nu ou avec un instrument quelconque : la lumière brûlerait votre rétine, causant une cécité permanente.

La couche située au-dessus de la photosphère s'appelle la chromosphère.

LUMIÈRE SOLAIRE ET ATMOSPHÈRE TERRESTRE

En traversant l'atmosphère de la Terre, la lumière du Soleil peut être décomposée en différentes longueurs d'onde. Au coucher du Soleil, les longueurs d'onde du bleu sont diffusées, et le rouge prédomine.

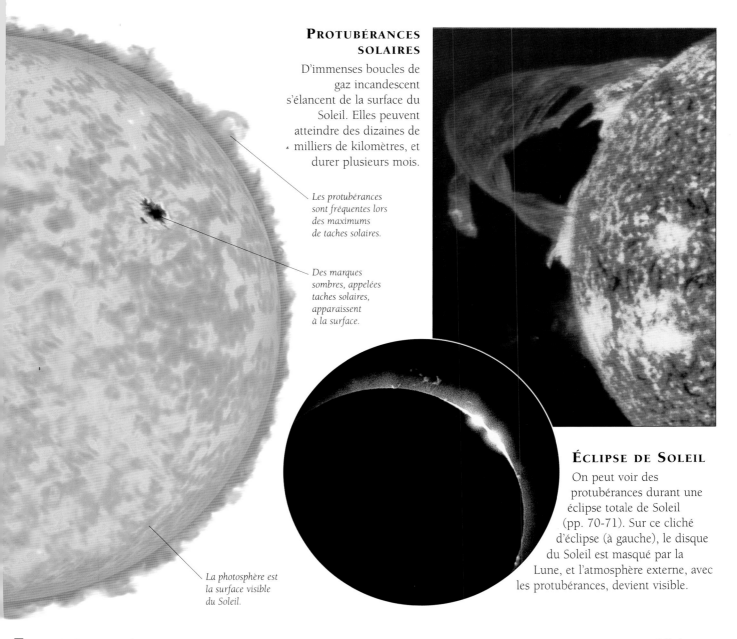

PROTUBÉRANCES SOLAIRES

D'immenses boucles de gaz incandescent s'élancent de la surface du Soleil. Elles peuvent atteindre des dizaines de milliers de kilomètres, et durer plusieurs mois.

Les protubérances sont fréquentes lors des maximums de taches solaires.

Des marques sombres, appelées taches solaires, apparaissent à la surface.

La photosphère est la surface visible du Soleil.

ÉCLIPSE DE SOLEIL

On peut voir des protubérances durant une éclipse totale de Soleil (pp. 70-71). Sur ce cliché d'éclipse (à gauche), le disque du Soleil est masqué par la Lune, et l'atmosphère externe, avec les protubérances, devient visible.

TACHES SOLAIRES

Ces taches sombres qui apparaissent à la surface du Soleil sont des régions relativement froides de la photosphère ; elles sont grandes – plus de 50 000 km de largeur – et apparaissent généralement par paires ou en groupes. Au cours de la rotation du Soleil, les groupes de taches semblent se déplacer à sa surface, passant d'un bord à l'autre en deux semaines environ. Les taches solaires apparaissent autour de l'équateur, entre les latitudes 40° N. et 40° S.

Ombre   Pénombre

Groupe de taches solaires
La partie la plus sombre, l'ombre, a une température inférieure de 1 500 °C à celle de la surface. La pénombre, qui l'entoure, est plus chaude.

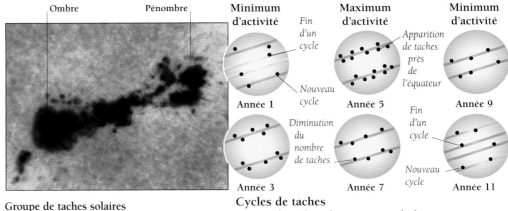

Minimum d'activité
Fin d'un cycle
Nouveau cycle
Année 1

Maximum d'activité
Apparition de taches près de l'équateur
Année 5

Minimum d'activité
Année 9

Diminution du nombre de taches
Année 3

Année 7

Fin d'un cycle
Nouveau cycle
Année 11

Cycles de taches
L'activité des taches solaires suit un cycle de 11 ans. Au maximum, on peut voir 120 taches par mois sur la surface du Soleil. Au minimum, ce nombre tombe à six environ.

Vertical left margin: SOLEIL · LUNE · PLUTON · NEPTUNE · URANUS · SATURNE · JUPITER · MARS · VÉNUS · MERCURE

ÉCLIPSE DE SOLEIL

Bien que le Soleil et la Lune diffèrent grandement en taille et en distance à la Terre, leurs dimensions apparentes sont très voisines et, lorsque les trois corps sont alignés, la Lune couvre entièrement le disque du Soleil, le masquant à notre vue. Ce phénomène, l'éclipse de Soleil, ne peut se produire qu'à la nouvelle lune, quand l'ombre de la Lune tombe sur la Terre. Mais les éclipses ne se produisent pas à chaque nouvelle lune : elles constituent un phénomène rare et remarquable, qui ne se produit qu'une ou deux fois par an, et n'est visible que sur une partie de la Terre. L'éclipse n'est totale que pour les observateurs situés dans la partie interne de l'ombre de la Lune ; les autres voient une éclipse partielle.

La couche gazeuse la plus externe du Soleil, la couronne, devient visible quand le disque est occulté.

La nouvelle lune couvre le disque du Soleil.

La couronne solaire brille un million de fois moins que le disque.

MÉCANISME D'UNE ÉCLIPSE DE SOLEIL

Quand la Lune se trouve juste entre la Terre et le Soleil, elle masque ce dernier et projette son ombre sur la Terre. La partie interne, l'ombre proprement dite, peut atteindre 160 km de largeur, et l'éclipse est totale dans cette zone ; dans la pénombre, l'éclipse est partielle.

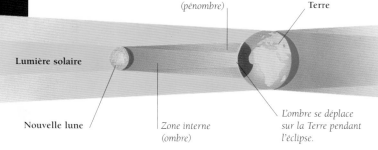

Zone externe (pénombre)

Terre

Lumière solaire

Nouvelle lune

Zone interne (ombre)

L'ombre se déplace sur la Terre pendant l'éclipse.

IMAGES SUCCESSIVES D'UNE ÉCLIPSE

Ces images ont été prises à dix minutes d'intervalle, en commençant en bas à gauche. La Lune a mis 70 minutes à traverser le Soleil. L'image centrale montre la totalité, où le Soleil est totalement caché, qui peut durer jusqu'à 7 minutes et 40 secondes.

ÉCLIPSE TOTALE DE SOLEIL

La Lune est 400 fois plus petite que le Soleil, mais elle est aussi 400 fois plus près de la Terre, et les deux corps ont donc à peu près la même taille apparente, environ un demi-degré. Une éclipse totale se produit lorsque le disque de la Lune couvre complètement celui du Soleil, faisant apparaître le halo de gaz externe, appelé la couronne.

LES GRAINS DE BAILY

Cet effet spectaculaire se produit très brièvement, au début et à la fin de la totalité : pendant quelques secondes, des grains de lumière, semblables à des diamants sur un anneau, apparaissent là où de petites fractions du Soleil sont visibles entre les montagnes du bord lunaire.

ATTENTION

Il faut suivre les précautions habituelles pour l'observation du Soleil (p. 68). Les quelques minutes de totalité sont le seul moment où l'on peut regarder le Soleil. Pensez à bien surveiller l'heure.

OBSERVER UNE ÉCLIPSE DE SOLEIL

Une éclipse de Soleil ne peut être vue que dans les régions de la Terre couvertes par l'ombre de la Lune ; elle est totale dans la zone interne (ombre), partielle dans la zone externe (pénombre). Au cours de l'éclipse, cette ombre suit une certaine trajectoire à la surface de la Terre, différente à chaque éclipse. Les dates ci-dessous correspondent à des éclipses à venir, visibles en différents points du globe.

DATES DES ÉCLIPSES TOTALES

11 août 1999	29 mars 2006
21 juin 2001	1er août 2008
4 déc. 2002	22 juill. 2009
23 nov. 2003	11 juill. 2010
8 avril 2005	

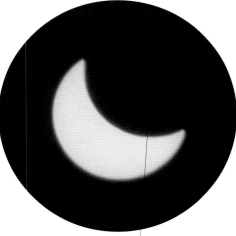

Les observateurs situés au sud de la trajectoire voient la Lune couvrir le haut du Soleil.

ÉCLIPSE PARTIELLE

Les observateurs situés hors du trajet étroit de la totalité, mais dans la zone externe, la pénombre, assistent à une éclipse partielle. Beaucoup moins spectaculaire qu'une éclipse totale, c'est encore un beau spectacle : une morsure sombre apparaît sur le Soleil pendant que la Lune passe devant celui-ci.

ÉCLIPSE ANNULAIRE

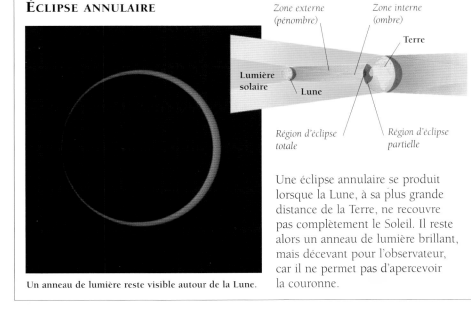

Un anneau de lumière reste visible autour de la Lune.

Zone externe (pénombre)

Zone interne (ombre)

Terre

Lumière solaire

Lune

Région d'éclipse totale

Région d'éclipse partielle

Une éclipse annulaire se produit lorsque la Lune, à sa plus grande distance de la Terre, ne recouvre pas complètement le Soleil. Il reste alors un anneau de lumière brillant, mais décevant pour l'observateur, car il ne permet pas d'apercevoir la couronne.

LES AURORES POLAIRES

Les aurores présentent un spectacle de rayons, de bandes et d'arcs colorés dans le ciel ; ces couleurs – rouge, rose, vert et bleu – prennent naissance dans la haute atmosphère de la Terre, au-dessus des régions polaires. Elles sont faciles à repérer et à observer à l'œil nu, à condition de se trouver aux plus hautes latitudes boréales ou australes. Les aurores sont difficiles à prévoir, mais plus nombreuses quand l'activité solaire est intense (p. 69). On en compte en moyenne une par mois dans l'un ou l'autre hémisphère.

AURORE BORÉALE EN ÉCOSSE

Ce cliché a été pris au petit matin du 1er mai 1990 en Écosse. Le spectacle a commencé tard le soir précédent et duré toute la nuit, pour s'achever à l'aube. L'aurore changeait au cours du temps, montrant des rayons, des bandes et des arcs. On voit ici un arc lumineux, avec des rayons qui s'élèvent vers la constellation de Cassiopée.

Observer les aurores
Les aurores boréales sont surtout observables au nord de la latitude 50° N., et les aurores australes au sud de la latitude 50° S. Ce schéma indique les zones peuplées où ces phénomènes ont le plus de chance d'être observés.

● Aurore boréale   ● Aurore australe

ORIGINE D'UNE AURORE POLAIRE

Des particules chargées provenant du Soleil entrent dans la haute atmosphère terrestre et sont attirées vers les régions polaires boréale et australe, le long des lignes de force du champ magnétique terrestre. Ces particules excitent les gaz de l'atmosphère, qui deviennent luminescents, provoquant de spectaculaires illuminations.

Aurore boréale

Atmosphère terrestre

Nuit

Jour

Des particules solaires chargées sont attirées vers le pôle Nord.

Des particules solaires chargées sont attirées vers le pôle Sud.

AURORE AUSTRALE

Une aurore australe n'a jamais autant de spectateurs qu'une aurore boréale, car elle se produit dans des régions inhabitées. Cette photo d'une aurore colorée en vert a été prise au cap Evans, dans l'Antarctique, avec un appareil 24 × 36, un film rapide et une longue pose.

FORMES DES AURORES

On voit des arcs et des rayons dans les aurores ; un arc replié comme un ruban forme une bande, et des rayons verticaux en draperie forment une bande rayée. Les couleurs dépendent de l'altitude de l'aurore et de la composition de l'atmosphère terrestre.

Aurore boréale, 25 mars 1991
Une couronne de lumière, ou couronne aurorale, apparaît lorsque des rayons semblent s'élever du sol tout le long de l'horizon.

Aurore boréale, 15 février 1990
Les couleurs vert-jaune sont dues à l'oxygène de l'atmosphère. Elles apparaissent entre 90 et 150 km d'altitude.

Aurore boréale, 1er mai 1990
La couleur rouge est due à l'oxygène à plus de 150 km d'altitude, et à l'hydrogène autour de 120 km d'altitude.

Aurore boréale, 26 décembre 1989
Les rayons sont la forme la plus courante : on les voit ici s'élever en colonnes depuis l'horizon, et se déplacer de gauche à droite.

LES MÉTÉORES

De la poussière et du rocher venant de l'espace bombardent continuellement la Terre : notre atmosphère en reçoit plus de 200 000 tonnes chaque année. Cette poussière et ces fragments rocheux sont appelés météorites ; la plupart brûlent dans l'atmosphère de la Terre, produisant un météore (un bref trait de lumière), en langage populaire une « étoile filante ». À certaines époques, on peut observer des pluies de météores.

Un météore isolé, ne faisant pas partie d'une pluie, est dit « sporadique ».

L'averse des Léonides a lieu chaque année à la mi-novembre.

PLUIES DE MÉTÉORES

Quand la Terre passe à travers les débris laissés par une comète, une pluie de météores se produit. Tous les météores d'une même pluie paraissent provenir d'un même point du ciel, appelé le radiant. La pluie prend le nom de la constellation qui contient le radiant : par exemple, les Léonides (ci-dessus) proviennent du Lion.

UN MÉTÉORE

Le trait de lumière d'un météore (qu'il soit isolé ou partie d'une pluie) dure moins de une seconde. La magnitude moyenne d'un météore est d'environ 2,5. Des météores se produisent chaque nuit de l'année.

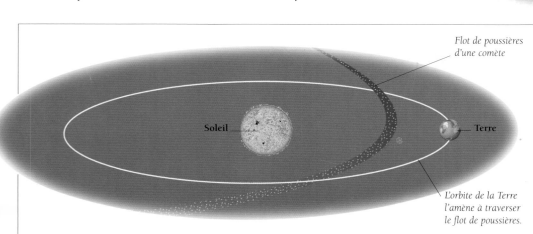

Flot de poussières d'une comète

Soleil

Terre

L'orbite de la Terre l'amène à traverser le flot de poussières.

FORMATION D'UNE PLUIE DE MÉTÉORES

Les poussières et le rocher qui produisent les météores proviennent de comètes ou d'astéroïdes. Les grains de poussière laissés par une comète passant près du Soleil forment un flot de matière. Quand la Terre traverse ce flot, les poussières entrent dans l'atmosphère, occasionnant une pluie de météores.

MÉTÉORITES

Certains morceaux de rochers, trop gros pour brûler entièrement en traversant l'atmosphère terrestre, atteignent la surface de la planète. Chaque année, plus de 3 000 d'entre eux pèsent au moins un kilo en arrivant sur terre. La plupart tombent dans l'océan, qui couvre la plus grande partie de notre planète, et on en récupère environ six seulement sur le sol. Les météorites forment parfois des cratères sur la surface de la Terre : on en a identifié plus de 150 dans le monde, certains âgés de plusieurs millions d'années, d'autres beaucoup plus récents.

Composition

Les météorites sont formées de rocher, de fer, ou d'un mélange des deux. Les météorites rocheuses sont les plus fréquentes.

De rares météorites contiennent du métal et du rocher.

Meteor Crater

Il y a des cratères sur chaque continent de la Terre. Celui-ci, de 1,3 km de diamètre, est situé en Arizona (USA) et s'est formé il y a environ 25 000 ans.

BOLIDES

On appelle « bolides » les météores particulièrement brillants, causés par des objets plus gros que ceux qui forment les météores moyens. Ces objets sont parfois si gros qu'ils ne brûlent pas entièrement dans l'atmosphère et arrivent jusqu'au sol terrestre (voir ci-dessus).

Bolide observé des îles Anglo-Normandes pendant les Perséides d'août 1991. On voit en arrière-plan les étoiles de la Petite Ourse.

Météore des Géminides

L'une des plus belles pluies de météores, les Géminides, se produit chaque année en décembre. L'origine de cette pluie est un astéroïde, Phaéton. Comme tous les météores, les Géminides apparaissent à une altitude de 70 à 115 km, et leur longueur va de 7 à 20 km. Au maximum d'intensité de la pluie, on peut en voir jusqu'à 80 par heure.

PLUIES DE MÉTÉORES ANNUELLES

Les pluies de météores se répètent aux mêmes époques chaque année. Utilisez votre planisphère pour voir si la constellation concernée est visible.

NOM	DATE
Quadrantides (Bouvier)	1er-6 janv.
Lyrides	19-24 avril
Êta Aquarides	1er-8 mai
Delta Aquarides	15 juill.-15 août
Perséides	25 juill.-18 août
Orionides	16-27 oct.
Taurides	20 oct.-30 nov.
Léonides	15-20 nov.
Géminides	7-15 déc.

LES COMÈTES

Les comètes sont des amas de neige et de poussières, des « boules de neige sales », de quelques kilomètres de diamètre. Ce sont des restes de la formation du système solaire, et il en existe des millions aux limites extrêmes de notre système actuel. Chaque année, quelques comètes se rapprochent suffisamment du Soleil pour être visibles de la Terre. Quand une comète devient visible, elle a beaucoup changé : c'est un objet spectaculaire, avec une tête brillante et une longue queue. Certaines comètes, dites périodiques, reviennent dans notre ciel en relativement peu de temps – moins de 200 ans –, tandis que d'autres ne reviennent qu'au bout de dizaines de milliers d'années, ou pas du tout.

LA QUEUE DE LA COMÈTE

Quand une comète s'approche du Soleil, la surface de son noyau s'échauffe et la neige passe de l'état solide à l'état gazeux, libérant la poussière, qui forme un énorme nuage : la coma. Plus près du Soleil, cette matière forme une longue queue. Quand la comète s'éloigne du Soleil, la coma et la queue disparaissent.

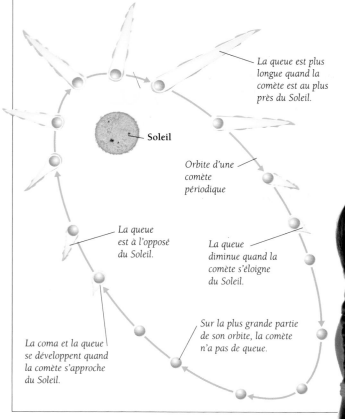

La queue est plus longue quand la comète est au plus près du Soleil.

Soleil

Orbite d'une comète périodique

La queue est à l'opposé du Soleil.

La queue diminue quand la comète s'éloigne du Soleil.

Sur la plus grande partie de son orbite, la comète n'a pas de queue.

La coma et la queue se développent quand la comète s'approche du Soleil.

La coma peut atteindre plusieurs fois le diamètre de la Terre.

Le minuscule noyau est invisible au centre de la coma.

Deux queues, l'une de gaz, l'autre de poussières, se forment, mais elles ne sont pas toujours distinctes.

À LA RECHERCHE DES COMÈTES

Les observateurs chevronnés balaient le ciel avec des jumelles géantes, pour trouver de nouvelles comètes. Ils recherchent sans cesse des taches floues inhabituelles : s'ils découvrent une comète, elle portera leur nom. Des jumelles moins puissantes (à gauche) permettent de mieux voir les quelques comètes qui apparaissent chaque année.

STRUCTURE D'UNE COMÈTE

Une comète est formée d'un noyau solide, mélange de neige et de poussières recouvert de poussière sombre. Quand la comète s'approche du Soleil, un nuage brillant de gaz et de poussières se développe, la coma, puis une longue queue s'en échappe. En s'éloignant du Soleil, la comète perd sa tête et sa queue.

COMÈTES PÉRIODIQUES

Certaines comètes reviennent au bout de quelques années : les quatre comètes ci-dessous seront visibles à l'œil nu ou avec des jumelles au cours des prochaines années. Une liste plus complète des comètes prévues de 1999 à 2010 figure p. 137.

Honda-Mrkos-Pajdusakova
Cette comète sera visible des deux hémisphères en avril 2001 et en juin 2006.

La queue d'une comète peut mesurer plusieurs millions de kilomètres de longueur.

COMÈTE HALE-BOPP

Découverte en 1995 par les astronomes Alan Hale et Thomas Bopp, cette comète a été bien visible à l'œil nu en 1997. Il est probable qu'elle ne reviendra pas avant 2 400 ans.

Borrelly
Cette comète sera visible par les observateurs des deux hémisphères d'août à novembre 2001.

Schwassmann-Wachmann 3
Cette comète fragmentée est attendue en janvier 2001 et en mai 2006, où elle sera proche de la Terre.

TRUCS POUR OBSERVER

À l'œil nu, une comète apparaît comme une tache lumineuse floue ; une tache allongée suggère la présence d'une queue.
Si vous avez du mal à voir une comète, ou que vous ne voyiez que sa tête, utilisez la vision périphérique (p. 15).
Pour confirmer qu'il s'agit d'une comète, vérifiez son mouvement sur le fond des étoiles : vous ne la verrez pas bouger, mais vous pourrez noter sa progression au cours de la nuit.
Notez les variations de luminosité et de longueur et essayez de voir les deux queues.

Kopff
La comète Kopff sera visible par les observateurs des deux hémisphères au cours de l'année 2009.

COMÈTE WEST

Les comètes abordent et quittent le système solaire sous n'importe quel angle. La comète West, découverte en 1975 par Richard West, est arrivée perpendiculairement au plan de l'écliptique. Elle fut visible au mieux en 1976 (ci-dessus), avec sa queue de poussières jaune-blanc, et sa queue de gaz bleuâtre. Les astronomes pensent qu'elle ne reviendra pas avant 300 000 ans, si elle revient jamais.

LES ASTÉROÏDES

Le système solaire contient des millions de rochers de l'espace, les astéroïdes. Les plus gros ont plus de 900 km de largeur, les plus petits ne sont que des grains de poussière. On les trouve pour la plupart dans une large bande, située entre les orbites de Mars et de Jupiter, la ceinture d'astéroïdes, mais certains astéroïdes suivent l'orbite de Jupiter ou de la Terre, s'approchent du Soleil, ou au contraire s'éloignent au-delà de l'orbite de Saturne. Tous les astéroïdes ne font que réfléchir la lumière du Soleil, et seul Vesta est assez brillant pour être visible à l'œil nu.

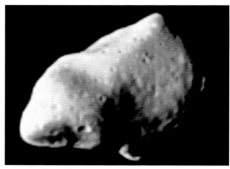

Gros plan de Gaspra
Gaspra fut le premier astéroïde observé de près : ce cliché a été pris par la sonde Galileo en octobre 1991. L'astéroïde n'a que 12 km de largeur et se trouve à la limite de la ceinture.

LA CEINTURE D'ASTÉROÏDES

Plus de 90 % des astéroïdes appartiennent à la ceinture : on en a identifié quelque 7 000, sur des orbites de trois à six ans. On en trouve aussi dans d'autres régions du système solaire : un groupe, appelé les Troyens, suit l'orbite de Jupiter.

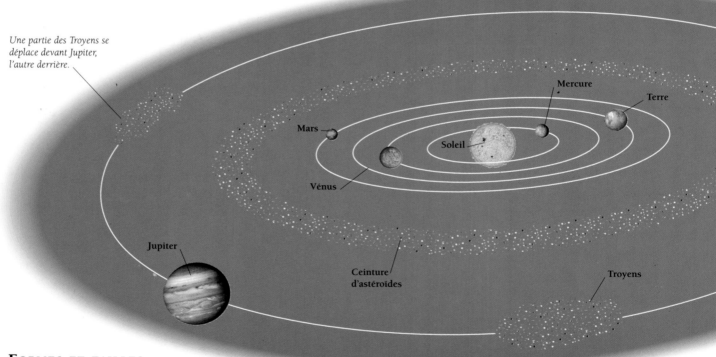

Une partie des Troyens se déplace devant Jupiter, l'autre derrière.

Mars

Mercure

Terre

Vénus

Soleil

Jupiter

Ceinture d'astéroïdes

Troyens

FORMES ET TAILLES

Les astéroïdes varient en forme et en taille : une dizaine d'entre eux seulement dépassent 250 km dans leur plus grande dimension ; la plupart ont une forme irrégulière, car ce n'est qu'au-dessus de 300 km qu'ils sont ronds. Ils sont formés de rocher, de métal ou des deux.

Psyché
Astéroïde de forme irrégulière, dans la ceinture, Psyché est long d'environ 250 km. Il est sans doute constitué de fer et de pierre et sa période de rotation est de l'ordre de quatre heures.

Vesta
Astéroïde sphérique de la ceinture, Vesta est le troisième en taille (560 km de diamètre). Sa surface est entièrement criblée de cratères d'impact.

Cérès
Cérès, le premier astéroïde découvert, est aussi le plus grand avec ses 933 km de diamètre. Il est recouvert de matière sombre et réfléchit peu de lumière.

VESTA

Les photographies permettent de confirmer l'observation d'un astéroïde. Vesta est le seul astéroïde assez brillant pour être visible à l'œil nu : à son maximum, il atteint la magnitude 5,5. Sa surface réfléchit plus de lumière solaire que tout autre astéroïde. Même alors, il n'apparaît que comme un point lumineux dans le ciel. Une comparaison du même champ stellaire à quelque temps d'intervalle montrera son mouvement sur le fond des étoiles.

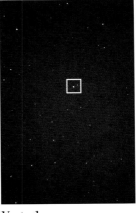

Vesta 1
Vesta ne se distingue pas des étoiles du champ.

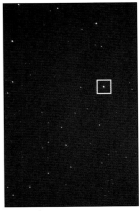

Vesta 2
Deux nuits plus tard, Vesta s'est déplacé vers la droite.

Toutatis : un astéroïde rapide
Découvert en janvier 1989, Toutatis appartient à un groupe d'astéroïdes qui croisent l'orbite de la Terre. Sa progression rapide dans le ciel nocturne produit une traînée lumineuse sur ce cliché à longue pose.

OBJETS ARTIFICIELS

Certains traits lumineux brillants enregistrés sur photo sont produits par des objets artificiels en orbite autour de la Terre. La station spatiale Mir et la navette spatiale, par exemple, ont des surfaces métalliques brillantes qui réfléchissent la lumière solaire : aussi, bien que ces objets soient petits et à des centaines de kilomètres d'altitude, on peut les voir et suivre leur mouvement à travers le ciel.

Traînée de satellite
À tout instant, plusieurs centaines de satellites artificiels traversent le ciel. Sur ce cliché, un satellite a laissé une traînée de lumière (en pointillé) au cours de son déplacement rapide dans le ciel.

Station spatiale Mir
Les objets artificiels, comme la station spatiale Mir (à gauche), sont visibles à l'œil nu ou avec des jumelles. Ils se déplacent rapidement dans le ciel, passant d'un horizon à l'autre en quelques minutes. Le meilleur moment pour les observer se situe avant l'aube ou après le coucher du Soleil.

TRUCS POUR OBSERVER

Vus de la Terre, les astéroïdes ne sont que des points lumineux.

Il y a plus de 60 astéroïdes de magnitude 10 ou plus brillants, donc visibles avec des jumelles ou un télescope.

Vous devez disposer de cartes détaillées des étoiles faibles et des coordonnées de l'astéroïde que vous cherchez.

Comparez la carte avec les étoiles du ciel. Y a-t-il un objet stellaire en plus ? C'est peut-être un astéroïde.

Observez l'objet au cours de la nuit pour voir s'il se déplace parmi les étoiles.

LES ÉTOILES SONT LES OBJETS LES PLUS NOMBREUX DE L'UNIVERS. CE CHAPITRE DÉCRIT LEUR NATURE ET PRÉSENTE LES MOTIFS STELLAIRES. LE CIEL TOUT ENTIER EST ENSUITE MONTRÉ DANS UNE SÉRIE DE CARTES, AVEC DES CARTES INDIVIDUELLES DES CONSTELLATIONS.

OBSERVER
les ÉTOILES

MOTIFS DANS LE CIEL

Où que vous soyez sur terre, vous pouvez voir des étoiles dans le ciel nocturne. À première vue, elles paraissent semblables, et il semble impossible de les distinguer les unes des autres. Pourtant, si vous persévérez, vous verrez que certaines sont plus brillantes et que des formes apparaissent si vous les reliez : ces motifs, les constellations, ont été utilisés depuis l'Antiquité et constituent toujours le meilleur moyen de se repérer dans le ciel.

Petit Cheval

Verseau

VOTRE VISION

Les étoiles sont si éloignées de la Terre qu'elles apparaissent toutes comme de petits points lumineux, que vous les observiez à l'œil nu, avec des jumelles ou au télescope.

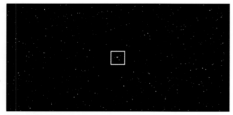

👁 **À l'œil nu**
On peut voir des centaines ou des milliers d'étoiles à l'œil nu par une belle nuit sombre. Les étoiles brillantes, comme la Polaire, sont les plus faciles à voir.

👁 **Avec des jumelles**
Les étoiles apparaissent toujours comme de petits points lumineux, mais on en voit davantage. Les étoiles moins brillantes près de la Polaire deviennent visibles.

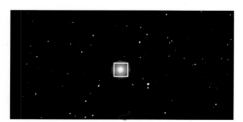

👁 **Au télescope**
On voit encore plus d'étoiles et la Polaire apparaît encore plus brillante. Un grand télescope la montre comme une étoile double.

LES CONSTELLATIONS

Une constellation est formée d'un motif stellaire et de la région du ciel qui l'entoure. Pour vous familiariser avec les motifs stellaires, commencez par en apprendre quelques-uns, puis de plus en plus.

Capricorne

Certains motifs stellaires sont plus faciles à reconnaître que d'autres. Celui-ci est le Capricorne, une chèvre à queue de poisson.

Les constellations sont imbriquées comme les pièces d'un puzzle géant.

PCS

L'Octant
Cette constellation contient le pôle céleste Sud (PCS). Sa forme évoque un octant de navigateur.

LE PUZZLE DES CONSTELLATIONS

Le ciel qui entoure la Terre est divisé en 88 constellations définies par accord international. Elles sont imbriquées comme dans un puzzle géant pour former une sphère autour de la Terre. Leurs tailles sont très variables, comme le nombre d'étoiles qu'elles contiennent. Certaines sont connues depuis quelque 4 000 ans.

Aigle

L'étoile brillante Altaïr attire l'œil vers la constellation de l'Aigle, où il est facile de voir un aigle volant dans le ciel.

Certains motifs stellaires représentent des créatures mythiques, comme le Sagittaire, un centaure (mi-homme, mi-cheval) pointant sa flèche vers le Scorpion.

Écu de Sobieski

Sagittaire

AUTRES OBJETS D'ALLURE STELLAIRE

À l'examen, certains points lumineux du ciel nocturne s'avèrent ne pas être des étoiles : les planètes sont facilement confondues avec des étoiles brillantes, et certaines taches floues ne sont pas des étoiles individuelles, mais des amas stellaires ou des galaxies, rassemblant un grand nombre d'étoiles.

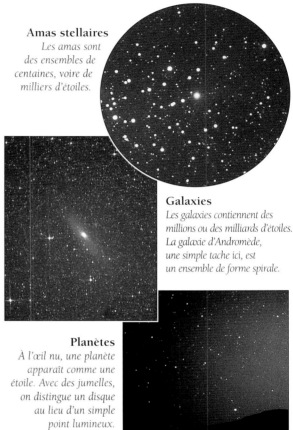

Amas stellaires
Les amas sont des ensembles de centaines, voire de milliers d'étoiles.

Galaxies
Les galaxies contiennent des millions ou des milliards d'étoiles. La galaxie d'Andromède, une simple tache ici, est un ensemble de forme spirale.

Planètes
À l'œil nu, une planète apparaît comme une étoile. Avec des jumelles, on distingue un disque au lieu d'un simple point lumineux.

DISTANCE DES ÉTOILES DANS UNE CONSTELLATION

Les étoiles sont si éloignées qu'elles nous semblent toutes à la même distance de la Terre, comme les maisons d'une colline lointaine. Les étoiles d'une constellation, qui sont figurées reliées en un motif, sont en réalité à des distances très variées, souvent plus éloignées les unes des autres que de la Terre. Les astronomes mesurent la distance des étoiles par leur parallaxe (p. 11) ou par l'analyse de leur lumière ; ils peuvent ainsi déterminer leur véritable position dans l'espace.

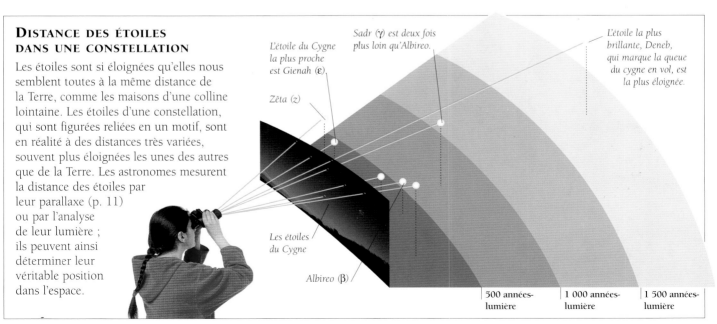

Sadr (γ) est deux fois plus loin qu'Albireo.

L'étoile du Cygne la plus proche est Gienah (ε).

L'étoile la plus brillante, Deneb, qui marque la queue du cygne en vol, est la plus éloignée.

Zêta (z)

Les étoiles du Cygne

Albireo (β)

| 500 années-lumière | 1 000 années-lumière | 1 500 années-lumière |

LES ÉTOILES

Toutes les étoiles sont d'immenses globes en rotation, formés de gaz chaud et lumineux. Elles naissent, vivent des millions ou des milliards d'années, et finissent par mourir. La masse d'une étoile, c'est-à-dire la quantité de gaz qu'elle contient, détermine sa durée de vie et les phases de son évolution. Les étoiles que nous voyons dans le ciel nocturne sont d'âges et de tailles différents ; elles varient en température, couleur et luminosité. Certaines ne sont pas des étoiles isolées, mais des étoiles doubles ou des membres d'un amas stellaire (pp. 86-87).

L'étoile la plus brillante
L'étoile la plus brillante du ciel est Sirius, une étoile blanche de magnitude – 1,46, visible de presque toutes les régions du monde. Placée à côté du Soleil, elle brillerait 26 fois plus.

Mimosa, *dans la Croix du Sud, est une étoile bleu-blanc de magnitude 1,25.*

Acrux, *dans la Croix du Sud, est une étoile double de magnitude 0,83.*

Arcturus, *dans le Bouvier, est de couleur orange et de magnitude – 0,04 ; c'est la quatrième étoile la plus brillante du ciel.*

Rigil Kentarus, *dans le Centaure, de magnitude –0,27, est la troisième étoile la plus brillante du ciel. C'est en réalité une étoile triple.*

L'ASPECT DES ÉTOILES

Les étoiles que nous voyons se situent à différentes distances de la Terre : on ne peut donc pas comparer facilement leur luminosité intrinsèque, mais seulement la façon dont elles brillent dans le ciel ; on utilise pour cela l'échelle de magnitude apparente (p. 16). Les étoiles les plus brillantes dessinent les constellations (pp. 82-83). La couleur des étoiles est également observable depuis la Terre (ci-dessous).

COULEUR ET TEMPÉRATURE

À première vue, toutes les étoiles paraissent de la même couleur, un blanc lumineux. Un examen plus attentif révèle qu'elles peuvent être bleues, blanches, jaunes, orange ou rouges. On peut déterminer la température d'une étoile d'après sa couleur : les étoiles bleues sont les plus chaudes, les blanches sont moins chaudes, puis viennent les jaunes, les orange et les rouges.

Observer la couleur des étoiles
Les différentes couleurs des étoiles de la constellation du Cygne sont bien visibles sur cette photo. Les distinguer en observant le ciel est nettement moins facile, mais, avec un peu de pratique, vous y parviendrez.

Deneb, l'étoile la plus brillante de la constellation, est bleu-blanc.

Omicron (o) *est une étoile double formée d'une étoile orange et d'une bleue.*

Cette étoile, Epsilon (ε), *est jaune.*

Les contrastes de couleur sont plus faciles à voir quand les étoiles sont très proches l'une de l'autre.

Température de surface
Les astronomes classent les étoiles selon leur température. Les couleurs associées aux températures sont indiquées ci-dessous.

	50 000 °C
	30 000 °C
	10 000 °C
	6 000 °C
	4 000 °C
	3 500 °C

Le Soleil est une étoile jaune de la séquence principale (voir ci-dessous), actuellement au milieu de sa vie : il vivra encore environ 5 milliards d'années. Quand il aura épuisé son hydrogène, le Soleil deviendra une géante rouge, puis il commencera à mourir.

Procyon, dans le Petit Chien, est de magnitude 0,38.

Bételgeuse, dans Orion, est une étoile rouge de magnitude 0,5.

Rigel, dans Orion, est une étoile bleu-blanc, la 7e plus brillante du ciel.

Altaïr, dans l'Aigle, fait partie d'un triangle d'étoiles brillantes.

Véga, dans la Lyre, est la 5e étoile la plus brillante du ciel.

Sirius

LES NOVAE

La luminosité de la plupart des étoiles reste constante, ou varie de façon prévisible. Une nova, au contraire, subit une augmentation d'éclat soudaine et imprévisible : une telle étoile appartient à un système binaire (p. 86), et l'hydrogène transféré depuis sa partenaire provoque l'éruption lumineuse.

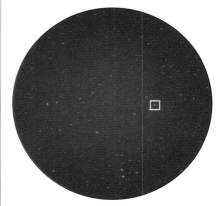

Nova Cygni
En 1975, une étoile du Cygne a augmenté de luminosité pendant plusieurs semaines avant de retrouver sa magnitude initiale.

LES ÉTOILES LES PLUS BRILLANTES

Ces 20 étoiles, les plus brillantes du ciel, sont classées par luminosité décroissante. Elles sont toutes facilement visibles à l'œil nu.

ÉTOILE	CONSTELLATION	MAG.
Sirius	Grand Chien (p. 113)	−1,46
Canopus	Carène (p. 103)	−0,72
Rigil Kentarus	Centaure (p. 102)	−0,27
Arcturus	Bouvier (p. 120)	−0,04
Véga	Lyre (p. 125)	0,03
Capella	Cocher (p. 112)	0,08
Rigel	Orion (p. 112)	0,12
Procyon	Petit Chien (p. 110)	0,38
Achernar	Éridan (p. 132)	0,46
Bételgeuse	Orion (p. 112)	0,5
Agena	Centaure (p. 102)	0,61
Altaïr	Aigle (p. 125)	0,77
Acrux	Croix du Sud (p. 102)	0,83
Aldébaran	Taureau (p. 107)	0,85
Antarès	Scorpion (p. 109)	0,96
Spica	Vierge (p. 109)	0,98
Pollux	Gémeaux (p. 106)	1,14
Fomalhaut	Poisson austral (p. 129)	1,16
Deneb	Cygne (p. 129)	1,25
Mimosa	Croix du Sud (p. 102)	1,25

LA VIE D'UNE ÉTOILE

Les étoiles naissent d'un nuage de gaz et de poussières. Dans le noyau, l'hydrogène se transforme en hélium et l'étoile se met à briller. Après des millions ou milliards d'années, l'étoile s'éteint peu à peu.

Nébuleuse   Protoétoile   Étoile de la séquence principale

Naissance des étoiles
Le nuage tourbillonnant de gaz et de poussières (la nébuleuse) se concentre en son milieu (protoétoile), puis forme une étoile de la séquence principale.

Supergéante   Supernova

Mort des étoiles massives
Une étoile massive devient énorme et très lumineuse (supergéante) avant d'exploser (supernova).

Géante rouge   Nébuleuse planétaire

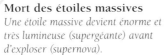

Mort des étoiles de type solaire
L'étoile se dilate et rougit (géante rouge). Elle éjecte de la matière en mourant (nébuleuse planétaire).

Taille des étoiles
La taille d'une étoile varie au cours de son évolution. Une géante est 10 à 100 fois plus grosse que le Soleil ; une supergéante, jusqu'à plus de 1 000 fois.

Soleil

Géante rouge

LES FAMILLES D'ÉTOILES

La majorité des étoiles que nous voyons dans le ciel nocturne sont isolées, mais beaucoup appartiennent à un système stellaire double ou multiple, dont chaque composante participe à l'éclat de l'étoile, telle que nous la voyons de la Terre. Toutes les étoiles naissent dans un groupe, ou amas, d'étoiles : les amas serrés, ou globulaires, sont formés de vieilles étoiles qui sont restées ensemble depuis leur naissance, et le resteront, tandis que les amas ouverts sont des groupes d'étoiles chaudes et jeunes, qui se sépareront au cours du temps.

Albireo B est une étoile bleu-vert.

Albireo A est une étoile jaune.

ÉTOILES DOUBLES

Beaucoup d'étoiles apparaissent comme des points lumineux doubles, car elles ont un compagnon. Si les deux étoiles n'ont aucun rapport entre elles, elles ne forment qu'une paire optique ; liées physiquement et proches l'une de l'autre, ce sont des binaires.

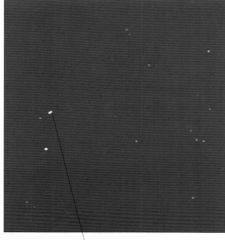

Alpha (α) du Capricorne

Doubles colorées
L'étoile Albireo marque la tête du Cygne. Des jumelles montrent qu'elle forme en réalité une paire d'étoiles de couleurs différentes (p. 84). La plus brillante est jaune doré, l'autre bleu-vert.

Paires optiques
Des jumelles montrent Alpha (α) du Capricorne comme deux étoiles : elles semblent proches l'une de l'autre, mais seulement parce qu'elles se trouvent dans la même direction, vues de la Terre.

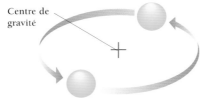

Centre de gravité

Étoiles doubles de même masse
Si les deux membres d'un système double ont la même masse, les étoiles tournent autour d'un centre situé à mi-distance entre elles.

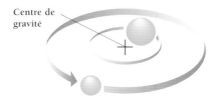

Centre de gravité

Étoiles doubles de masses différentes
Quand l'un des membres d'un système multiple est plus massif que l'autre, le centre de gravité est près de l'étoile la plus lourde.

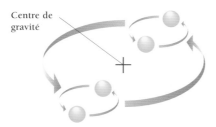

Centre de gravité

Une étoile multiple
Sur ce dessin, quatre étoiles de même masse forment deux paires, qui tournent autour du centre de gravité de l'ensemble.

REGARDER LES ÉTOILES DOUBLES

Beaucoup d'étoiles doubles sont visibles à l'œil nu ou avec des jumelles. Certaines sont d'éclat et de couleur identiques, d'autres non. Il faut un télescope pour séparer les doubles serrées.

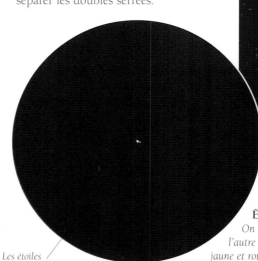

Les étoiles n'en forment qu'une.

Êta Cassiopeiae à l'œil nu
Cette étoile brillante est facile à voir à l'œil nu, juste au-dessus de l'étoile brillante Schedir, qui marque le deuxième creux du W.

Les étoiles apparaissent séparées.

Êta Cassiopeiae au télescope
On voit maintenant deux étoiles, l'une de magnitude 4, l'autre de magnitude 8. Leurs couleurs respectives, jaune et rouge, sont tout juste perceptibles.

AMAS STELLAIRES

Si toutes les étoiles naissent dans un amas, seules certaines restent ensemble toute leur vie : les amas ouverts, de quelques étoiles à quelques milliers, se séparent, tandis que les dizaines ou centaines de milliers d'étoiles d'un amas globulaire restent ensemble.

Amas ouvert

Les amas ouverts, formés d'étoiles jeunes et lumineuses, n'ont pas de structure définie, et varient en taille et en forme. Ces amas, tel le Double Amas de Persée (ci-dessus), se voient mieux à l'œil nu ou avec des jumelles.

Amas globulaire

Un amas globulaire est un essaim d'étoiles vieilles dont la concentration augmente vers le centre, et généralement de forme sphérique. On en connaît environ 150 dans notre galaxie, dont la moitié sont visibles avec des jumelles, comme M 10 dans Ophiucus (à gauche).

ÉTOILES VARIABLES

L'éclat de certaines étoiles varie, soit parce que l'étoile est une binaire à éclipses (à droite), soit parce qu'elle a des « sursauts ». Les Céphéides et les Mira sont du dernier type. Les Céphéides varient en un à cinquante jours, les Mira plus lentement.

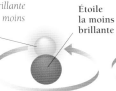
L'étoile la plus brillante passe derrière la moins brillante.

Étoile la moins brillante

Étoile la plus brillante

Minimum d'éclat
L'étoile la plus brillante est éclipsée par son compagnon moins brillant.

Maximum d'éclat
L'étoile la plus brillante est bien en vue.

Mira à la magnitude 10

Mira à la magnitude 3

L'étoile variable Mira
Mira, dans la Baleine, est une géante rouge dont la taille et la luminosité varient fortement ; elle passe de la magnitude 10 à la magnitude 3 en 332 jours. Elle a donné son nom à une catégorie d'étoiles variables, les Mira.

ÉTOILES DOUBLES

Utilisez le planisphère pour savoir quand une étoile double est haut dans le ciel, et donc bien placée pour l'observation.

NOM	CONSTELLATION
Mizar	Grande Ourse (p. 98)
Albireo	Cygne (p. 129)
Castor	Gémeaux (p. 106)
Almak	Andromède (p. 132)
Algieba	Lion (p. 106)
Cor Caroli	Chiens de Chasse (p. 121)
Thêta Orionis	Orion (p. 112)
Epsilon Lyrae	Lyre (p. 125)

AMAS STELLAIRES

Les amas sont de bons objets à observer à la jumelle. Si vous avez du mal à localiser un amas, utilisez la vision périphérique (p. 15).

NOM	CONSTELLATION
Amas ouverts	
Ruche, M 44	Cancer (p. 106)
Double Amas	Persée (p. 133)
Pléiades, M 45	Taureau (p. 107)
Boîte à bijoux, NGC 4755	Croix du Sud (p. 102)
Canard sauvage, M 11	Écu de Sobieski (p. 122)
M 41	Grand Chien (p. 113)
Amas globulaires	
Oméga Centauri	Centaure (p. 102)
47 Tucanae	Toucan (p. 103)
M 13	Hercule (p. 124)
M 22	Sagittaire (p. 108)
M 15	Pégase (p. 128)
M 3	Chiens de Chasse (p. 121)

ÉTOILES VARIABLES

Familiarisez-vous avec l'éclat des étoiles voisines d'une variable, et comparez leur luminosité.

NOM	CONSTELLATION
Céphéides	
Delta (δ) Cephei	Céphée (p. 98)
Êta (η) Aquilae	Aigle (p. 125)
Zêta (ζ) Geminorum	Gémeaux (p. 106)
Bêta (β) Doradus	Dorade (p. 103)
Mira	
Mira	Baleine (p. 133)
Chi (χ) Cygni	Cygne (p. 129)
Binaires à éclipses	
Algol	Persée (p. 133)
Delta (δ) Librae	Balance (p. 109)

LES NÉBULEUSES

Les nébuleuses sont des nuages de gaz et de poussières interstellaires, associés à la naissance et à la mort des étoiles : quand une étoile massive meurt, elle éjecte du gaz et des poussières, qui finissent par se condenser en formant de nouvelles étoiles. Beaucoup de nébuleuses sont visibles à l'œil nu, soit comme des taches lumineuses floues, soit comme des zones vides et sombres. On les voit mieux avec des jumelles ou un télescope, et ce sont de bons sujets pour la photographie ou l'imagerie CCD.

TYPES DE NÉBULEUSES

Les nébuleuses à émission et à réflexion, ainsi que les restes de supernova, sont des nébuleuses brillantes. Les nébuleuses obscures apparaissent comme des taches sombres sur un fond de ciel brillant.

Nébuleuse à réflexion
M 78, dans Orion, est une nébuleuse brillante à réflexion : elle n'émet pas de lumière, et ne brille qu'en réfléchissant la lumière des étoiles voisines.

Reste de supernova
Cette traînée de gaz, la nébuleuse du Voile, dans le Cygne, est le reste d'une supernova : l'étoile qui l'a produite a explosé il y a quelque 50 000 ans.

Une allée de poussière sombre semble couper en deux la grande nébuleuse, mais les deux moitiés forment un seul immense nuage.

L'étoile mourante est visible au centre de l'anneau de gaz.

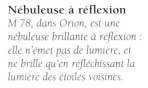

Nébuleuse obscure
Ce nuage en forme de S, la nébuleuse du Serpent, dans Ophiucus, est une nébuleuse obscure : un nuage de gaz et de poussières assez dense pour bloquer la lumière des étoiles situées derrière lui.

Nébuleuse planétaire
Une nébuleuse planétaire est produite par une étoile mourante qui éjecte une coquille de gaz. Celle-ci (à gauche) est la Planétaire clignotante, dans le Cygne.

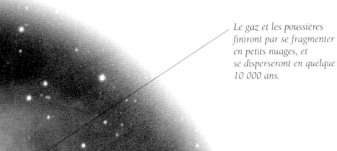

Le gaz et les poussières finiront par se fragmenter en petits nuages, et se disperseront en quelque 10 000 ans.

On peut voir de jeunes étoiles chaudes dans la nébuleuse. Les quatre du centre forment le Trapèze.

La couleur à dominante rouge de cette nébuleuse à émission provient de l'interaction des molécules de gaz.

SUPERNOVAE

À chaque seconde, quelque part dans l'Univers, une étoile explose : ces événements, appelés supernovae, nous sont pour la plupart invisibles, mais il s'en produit deux ou trois par siècle dans notre propre galaxie. La lumière de l'explosion ressemble à celle d'une étoile nouvelle extraordinairement brillante.

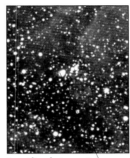

Avant l'explosion, cette supergéante bleue était une étoile bien ordinaire.

L'étoile a explosé le 23 février 1987, devenant alors la supernova 1987 A.

NÉBULEUSE À ÉMISSION

La grande nébuleuse d'Orion est l'une des plus brillantes nébuleuses à émission du ciel. La lumière des étoiles contenues dans la nébuleuse est absorbée, puis réémise par l'hydrogène.

TRUCS POUR OBSERVER LES NÉBULEUSES

Les nébuleuses brillantes apparaissent à l'œil nu comme des taches floues, brumeuses. On les repère parfois mieux en utilisant la vision périphérique (p. 15).

NOM	CONSTELLATION	TYPE
Orion, M 42	Orion (p. 112)	Émission
Oméga, M 17	Sagittaire (p. 108)	Émission
Sac à charbon	Croix du Sud (p. 102)	Sombre
Fente du Cygne	Cygne (p. 129)	Sombre
Mérope	Taureau (p. 107)	Réflexion
Hélix, NGC 7293	Verseau (p. 108)	Planétaire
Dumb-Bell, M 27	Petit Renard (p. 129)	Planétaire
Anneau de fumée, M 57	Lyre (p. 125)	Planétaire
Voile, NGC 6992	Cygne (p. 129)	Reste de supernova
Crabe, M 51	Taureau (p. 107)	Reste de supernova

La nébuleuse Trifide est une nébuleuse à émission.

La nébuleuse du Lagon est une nébuleuse à émission, avec une bande de poussière sombre.

LES NÉBULEUSES DU LAGON (M 8) ET TRIFIDE (M 20)

Cette région du ciel, dans le Sagittaire, est riche en nébuleuses. Deux régions brillantes ressort : le nuage brillant en bas est la nébuleuse du Lagon, M 8, et le nuage plus petit en haut est la nébuleuse Trifide, M 20.

Observer une nébuleuse
Un télescope est bien adapté à l'observation des détails de nébuleuses (forme et couleur).

LES GALAXIES

Les galaxies sont de vastes ensembles comprenant des millions, et plus souvent des milliards, d'étoiles ; il doit y avoir des milliards de galaxies dans l'Univers. La galaxie à laquelle appartiennent le Soleil et le système solaire est appelée la Galaxie, ou la Voie lactée. De la Terre, nous pouvons voir d'autres galaxies, mais les plus proches d'entre elles sont si éloignées qu'elles n'apparaissent, à l'œil nu ou avec des jumelles, que comme de faibles taches de lumière.

Le noyau central est formé de vieilles étoiles.

FORMES DES GALAXIES

Les galaxies appartiennent à quatre grands types, indiqués ci-dessous. La Voie lactée est une galaxie spirale, avec un noyau dense et des bras spiraux. Il existe des galaxies spirales barrées et des elliptiques ; d'autres, qui n'ont pas de forme définie, sont dites irrégulières.

Galaxie spirale

Galaxie spirale barrée

Galaxie elliptique

Galaxie irrégulière

✦ NGC 253
Cette galaxie spirale apparaît comme une tache en forme de cigare avec des jumelles, mais son centre est bien visible dans un grand télescope.

✦ M 109
Un grand télescope montre la barre et les bras de cette galaxie spirale barrée.

👁 ✦ M 110
Cette galaxie elliptique est visible avec des jumelles géantes ou un télescope.

👁 Le Petit Nuage de Magellan
Cette galaxie irrégulière est visible à l'œil nu comme un nuage brumeux.

ANATOMIE D'UNE GALAXIE

Cette belle image CCD de la galaxie NGC 2997 montre bien la structure spirale. On trouve au centre un noyau de vieilles étoiles rouges, tandis que les bras contiennent de jeunes étoiles bleues et des étoiles en formation.

GALAXIES À OBSERVER

Utilisez une étoile proche connue pour localiser une galaxie. Si vous n'y arrivez pas, utilisez la vision périphérique (p. 15).

NOM	CONSTELLATION	TYPE
👁 Grand Nuage de Magellan	Dorade (p. 103)	Irrégulière
👁 Petit Nuage de Magellan	Toucan (p. 103)	Irrégulière
👁 Andromède (M 31)	Andromède (p. 132)	Spirale
🔭 Triangle (M 33)	Triangle (p. 133)	Spirale
🔭 Chiens de Chasse (M 51)	Chiens de Chasse (p. 121)	Spirale
✦ M 95	Lion (p. 106)	Spirale barrée
✦ M 49	Vierge (p. 109)	Elliptique
✦ M 87	Vierge (p. 109)	Elliptique

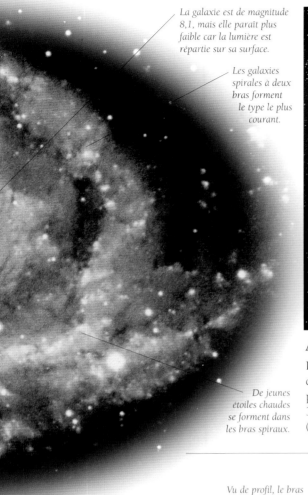

La galaxie est de magnitude 8,1, mais elle paraît plus faible car la lumière est répartie sur sa surface.

Les galaxies spirales à deux bras forment le type le plus courant.

De jeunes étoiles chaudes se forment dans les bras spiraux.

AMAS DE GALAXIES

Les galaxies sont souvent groupées en amas : l'amas du Fourneau (ci-dessus) comprend un grand nombre de galaxies spirales, barrées et elliptiques. Notre propre galaxie, la Voie lactée (ci-dessous), appartient à un amas de quelque 30 galaxies, l'Amas local, qui comprend les Grand et Petit Nuages de Magellan (p. 103) ainsi que la galaxie d'Andromède (p. 132).

Notre galaxie vue de profil

Si nous pouvions voir la Voie lactée de l'extérieur et de profil, nous verrions un disque avec une concentration d'étoiles formant un noyau central.

Vu de profil, le bras spiral apparaît comme un disque plat.

Le halo contient les étoiles les plus vieilles.

100 000 années-lumière

LA VOIE LACTÉE

Notre galaxie, la Voie lactée, est une galaxie spirale, contenant environ 100 milliards d'étoiles, et d'un diamètre de 100 000 années-lumière. Le Soleil et la Terre se trouvent à peu près aux deux tiers de la distance entre le centre et le bord, dans l'un des bras spiraux, le bras d'Orion. Le Soleil, comme toutes les autres étoiles de la Voie lactée, décrit une orbite autour du centre galactique et parcourt cette orbite en 220 millions d'années.

Bras d'Orion

Bras du Sagittaire

Bras de Persée

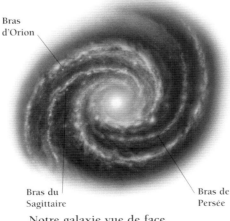

Notre galaxie vue de face

Le noyau central d'étoiles est entouré par les bras spiraux.

La Voie lactée vue de la Terre

La concentration d'étoiles dans le plan de notre galaxie forme une rivière de lumière à travers le ciel. C'est l'aspect laiteux de cette rivière qui a donné son nom à la Voie lactée.

LA VOIE LACTÉE

En dehors des autres galaxies, tout ce que nous pouvons voir dans le ciel – étoiles, amas d'étoiles, nébuleuses, Soleil, Lune et planètes – appartient à notre propre galaxie, la Voie lactée. De notre position, aux deux tiers du centre de la Galaxie (pp. 90-91), nous voyons la plupart des étoiles du disque galactique comme une rivière de lumière, communément appelée la Voie lactée. La densité de cette bande de lumière varie selon la direction d'observation : près du centre galactique, la bande est plus dense, avec plus d'étoiles ; en s'éloignant du centre, on trouve moins d'étoiles. La carte ci-dessous montre le tracé de la Voie lactée et les constellations qu'elle traverse.

La Voie lactée dans l'Aigle et le Cygne
Pour les observateurs de l'hémisphère boréal, la partie la plus brillante de la Voie lactée se trouve dans l'Aigle et le Cygne. Elle est visible à l'œil nu, loin des lumières de la ville ; plus le ciel est noir, plus elle brille.

La bande de poussière sombre, visible à l'œil nu, qui partage la Voie lactée dans le Cygne est appelée la Fente du Cygne, ou le Sac à charbon boréal.

TROUVER LA VOIE LACTÉE

La Voie lactée est visible des deux hémisphères. Utilisez le planisphère (pp. 22-23) pour trouver la partie visible à la latitude et à l'époque qui vous intéressent.

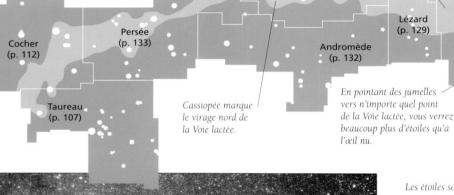

Cocher (p. 112)
Persée (p. 133)
Cassiopée (p. 99)
Céphée (p. 98)
Lézard (p. 129)
Cygne (p. 129)
Andromède (p. 132)
Taureau (p. 107)
Petit Renard (p. 129)
Flè (p.

Cassiopée marque le virage nord de la Voie lactée.

En pointant des jumelles vers n'importe quel point de la Voie lactée, vous verrez beaucoup plus d'étoiles qu'à l'œil nu.

Les étoiles sont particulièrement denses dans la région du Sagittaire, car cette direction est celle du centre de la Galaxie.

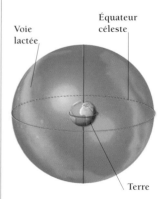

Voie lactée
Équateur céleste
Terre

La sphère céleste
La Voie lactée paraît fixée sur une sphère au-dessus de nos têtes. Elle est représentée ici en bleu pâle.

La Voie lactée autour de l'Écu de Sobieski
La petite constellation de l'Écu de Sobieski est au centre du cliché, mais ses étoiles disparaissent sur le fond dense de la Voie lactée, dont cette partie est facile à voir à l'œil nu.

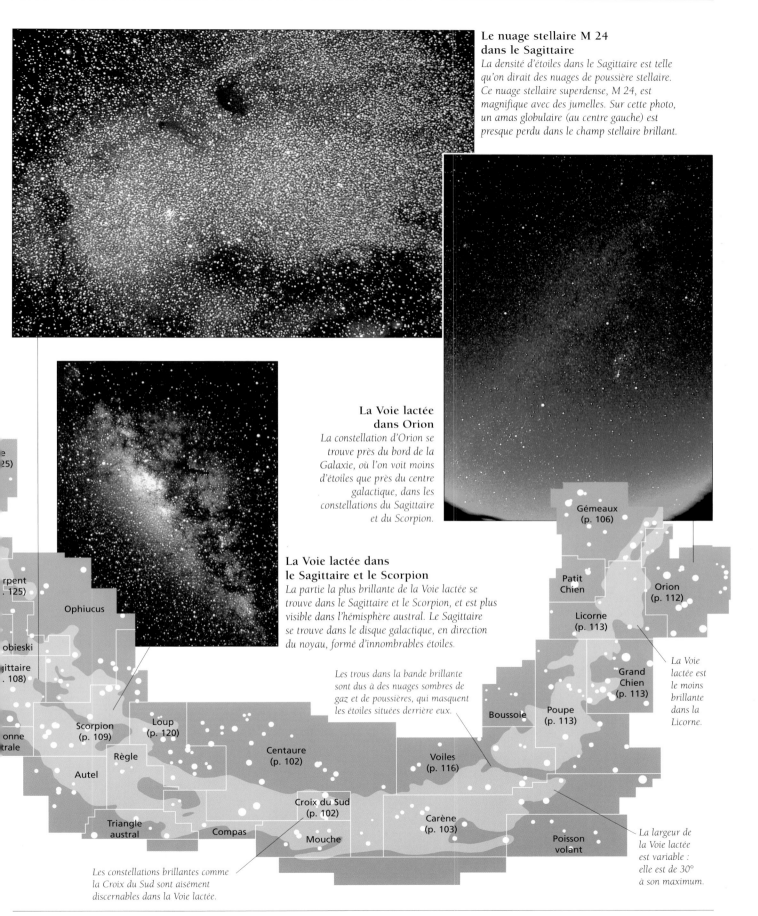

Le nuage stellaire M 24 dans le Sagittaire

La densité d'étoiles dans le Sagittaire est telle qu'on dirait des nuages de poussière stellaire. Ce nuage stellaire superdense, M 24, est magnifique avec des jumelles. Sur cette photo, un amas globulaire (au centre gauche) est presque perdu dans le champ stellaire brillant.

La Voie lactée dans Orion

La constellation d'Orion se trouve près du bord de la Galaxie, où l'on voit moins d'étoiles que près du centre galactique, dans les constellations du Sagittaire et du Scorpion.

La Voie lactée dans le Sagittaire et le Scorpion

La partie la plus brillante de la Voie lactée se trouve dans le Sagittaire et le Scorpion, et est plus visible dans l'hémisphère austral. Le Sagittaire se trouve dans le disque galactique, en direction du noyau, formé d'innombrables étoiles.

Les trous dans la bande brillante sont dus à des nuages sombres de gaz et de poussières, qui masquent les étoiles situées derrière eux.

La Voie lactée est le moins brillante dans la Licorne.

La largeur de la Voie lactée est variable : elle est de 30° à son maximum.

Les constellations brillantes comme la Croix du Sud sont aisément discernables dans la Voie lactée.

Gémeaux (p. 106)
Patit Chien
Orion (p. 112)
Licorne (p. 113)
Grand Chien (p. 113)
Boussole
Poupe (p. 113)
Voiles (p. 116)
Centaure (p. 102)
Loup (p. 120)
Scorpion (p. 109)
Règle
Autel
Croix du Sud (p. 102)
Triangle austral
Compas
Mouche
Carène (p. 103)
Poisson volant
Ophiucus
rpent .125)
obieski
gittaire . 108)
onne trale

93

UTILISER LES CARTES DU CIEL

L'ensemble de la sphère céleste est représenté sur une série de cartes du ciel en pp. 96-133 ; divisées en cartes polaires et cartes bimestrielles, elles sont à utiliser avec le planisphère (pp. 22-23). Chaque carte est suivie de cartes claires et détaillées des constellations clés pour ce ciel polaire ou bimestriel. Les constellations zodiacales apparaissent sur les cartes mensuelles, mais sont traitées et cartographiées plus en détail en pp. 106-109.

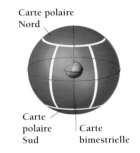

Carte polaire Nord

Carte polaire Sud

Carte bimestrielle

DIVISER LA SPHÈRE CÉLESTE

Par commodité, on a divisé la sphère céleste en deux calottes haute et basse montrant le ciel polaire Nord et Sud, et en six segments verticaux montrant le ciel bimestriel.

LES CARTES BIMESTRIELLES

Avec les cartes polaires, ces six cartes bimestrielles montrent toutes les constellations visibles au cours de l'année. Le ciel semblant se déplacer d'est en ouest vu de la Terre, on utilise les cartes de droite à gauche, en commençant en janvier et en finissant en décembre.

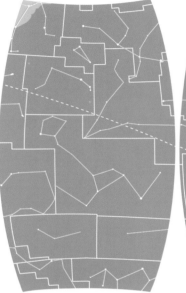

Novembre et décembre

Septembre et octobre

Juillet et août

LE ZODIAQUE

Cette carte montre les constellations zodiacales, avec l'équateur céleste et l'écliptique (le trajet du Soleil dans le ciel, vu de la Terre). Elle est suivie d'une carte détaillée de chaque constellation zodiacale. Cette même carte sert aussi à trouver les planètes (pp. 40-61).

Le pôle céleste Sud n'est marqué par aucune étoile reconnaissable.

Le Soleil, la Lune et toutes les planètes se déplacent dans la bande zodiacale.

Carte polaire Sud

LA CARTE POLAIRE SUD

Cette carte est centrée sur le pôle céleste Sud, et montre les constellations situées entre 50° S. et 90° S. Plusieurs d'entre elles ne se couchent jamais pour certains observateurs : elles sont « circumpolaires ». La carte (pp. 100-101) est suivie des cartes des constellations.

Le zodiaque

La Voie lactée est figurée en bleu pâle sur les cartes stellaires.

L'équateur céleste est la projection de l'équateur terrestre sur la sphère céleste.

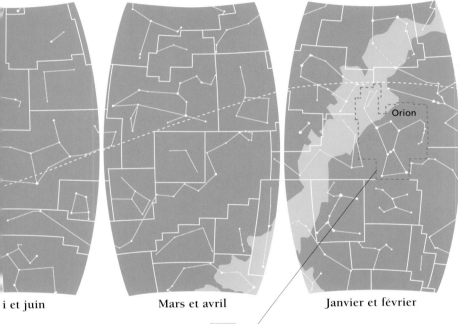

Carte céleste Nord

Le pôle céleste Nord est marqué par la Polaire.

LA CARTE POLAIRE NORD

Cette carte est centrée sur le pôle céleste Nord, et montre les constellations situées entre 50° N. et 90° N. Plusieurs d'entre elles ne se couchent jamais pour certains observateurs : elles sont « circumpolaires ». La carte (pp. 96-97) est suivie des cartes des constellations.

i et juin   Mars et avril   Janvier et février

Orion

UTILISER LES CARTES DES CONSTELLATIONS

Chaque carte du ciel est suivie de cartes détaillées des constellations clés ; chacune de celles-ci montre la forme de la constellation, toutes les étoiles visibles à l'œil nu dans cette constellation et une sélection d'objets intéressants à voir avec des jumelles ou un télescope.

Toutes les étoiles de la carte appartiennent à la même constellation.

Certaines étoiles ont des noms propres.

Les étoiles brillantes sont reliées pour former les motifs familiers.

Certaines étoiles ont une lettre grecque.

Les nombres renvoient à la classification officielle.

Les symboles indiquent les objets du ciel profond particulièrement intéressants.

SYMBOLES DES CARTES DE CONSTELLATIONS

Les cartes des constellations sont à utiliser avec les cartes du ciel et le planisphère (pp. 22-23). Quand vous avez identifié la région du ciel que vous voulez observer, utilisez la carte de constellation de cette zone, qui vous donne des détails sur les étoiles brillantes, la forme de la constellation et les objets du ciel profond faciles à observer.

Objets du ciel profond

Ces symboles représentent les différents types d'objets du ciel profond. Souvent un numéro ou un nom apparaît à côté d'un objet : c'est le numéro ou le nom de la classification officielle.

 Galaxie

 Amas globulaire

 Amas ouvert

Nébuleuse diffuse

Nébuleuse planétaire

Mesurer les constellations

Il est parfois difficile d'estimer la taille des constellations en regardant le ciel ; c'est pourquoi la largeur de chaque constellation, mesurée en mains, est indiquée. (Voir aussi Mesurer les distances dans le ciel, p. 21).

1 main   ½ main    = 2½ mains

Nommer les étoiles

Les étoiles les plus brillantes d'une constellation sont identifiées par une lettre grecque : l'étoile Alpha (α) est en général la plus brillante. Beaucoup d'étoiles brillantes ont aussi un nom propre.

L'alphabet grec

α – Alpha	η – Êta	ν – Nu	τ – Tau
β – Bêta	θ – Thêta	ξ – Xi	υ – Upsilon
γ – Gamma	ι – Iota	ο – Omicron	φ – Phi
δ – Delta	κ – Kappa	π – Pi	χ – Khi
ε – Epsilon	λ – Lambda	ρ – Rhô	ψ – Psi
ζ – Dzêta	μ – Mu	σ – Sigma	ω – Oméga

Magnitude stellaire

Chaque étoile est représentée sur la carte par un point blanc, dont la taille indique la magnitude, c'est-à-dire l'éclat apparent, vu de la Terre. L'étoile la plus brillante a le point le plus gros, mais le plus petit chiffre de magnitude.

Échelle de magnitude

LE CIEL POLAIRE BORÉAL

Certaines constellations restent dans le ciel en permanence pour les observateurs de l'hémisphère boréal, selon la latitude : elles ne se couchent jamais, et paraissent décrire un cercle autour d'un point du ciel. Ce point est le pôle céleste Nord, et le trajet apparent circulaire des étoiles est dû à la rotation quotidienne de la Terre. Ces étoiles, dites circumpolaires, accomplissent un tour de ciel en un peu moins de 24 heures. (Les cartes des constellations clés se trouvent en pp. 98-99.)

TROUVER LES CONSTELLATIONS

Le pôle céleste Nord est au centre de la carte. Un observateur au pôle Nord de la Terre aurait ce point juste au-dessus de lui, et toutes les étoiles autour resteraient visibles en permanence. Un observateur situé plus au sud verrait le pôle céleste plus bas dans le ciel. Réglez le planisphère pour voir quelles étoiles sont circumpolaires pour vous.

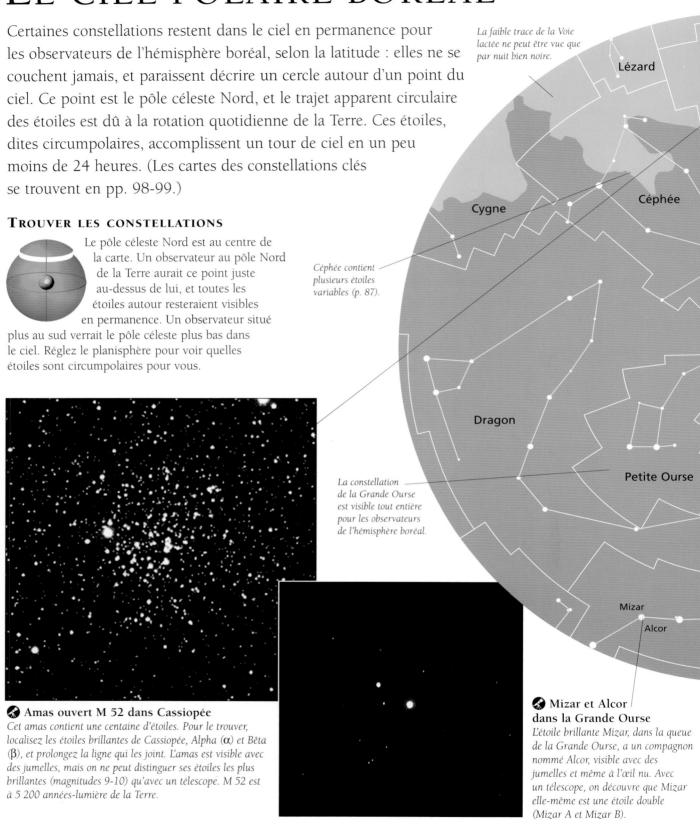

La faible trace de la Voie lactée ne peut être vue que par nuit bien noire.

Lézard

M

Cygne

Céphée

Céphée contient plusieurs étoiles variables (p. 87).

Dragon

Petite Ourse

La constellation de la Grande Ourse est visible tout entière pour les observateurs de l'hémisphère boréal.

Mizar

Alcor

⊛ Amas ouvert M 52 dans Cassiopée
Cet amas contient une centaine d'étoiles. Pour le trouver, localisez les étoiles brillantes de Cassiopée, Alpha (α) et Bêta (β), et prolongez la ligne qui les joint. L'amas est visible avec des jumelles, mais on ne peut distinguer ses étoiles les plus brillantes (magnitudes 9-10) qu'avec un télescope. M 52 est à 5 200 années-lumière de la Terre.

⊛ Mizar et Alcor dans la Grande Ourse
L'étoile brillante Mizar, dans la queue de la Grande Ourse, a un compagnon nommé Alcor, visible avec des jumelles et même à l'œil nu. Avec un télescope, on découvre que Mizar elle-même est une étoile double (Mizar A et Mizar B).

| LES OBJETS DU CIEL PROFOND | | Voie lactée | | Galaxie | | Amas globulaire | | Amas ouvert | | Nébuleuse diffuse | | Nébuleuse planétaire |

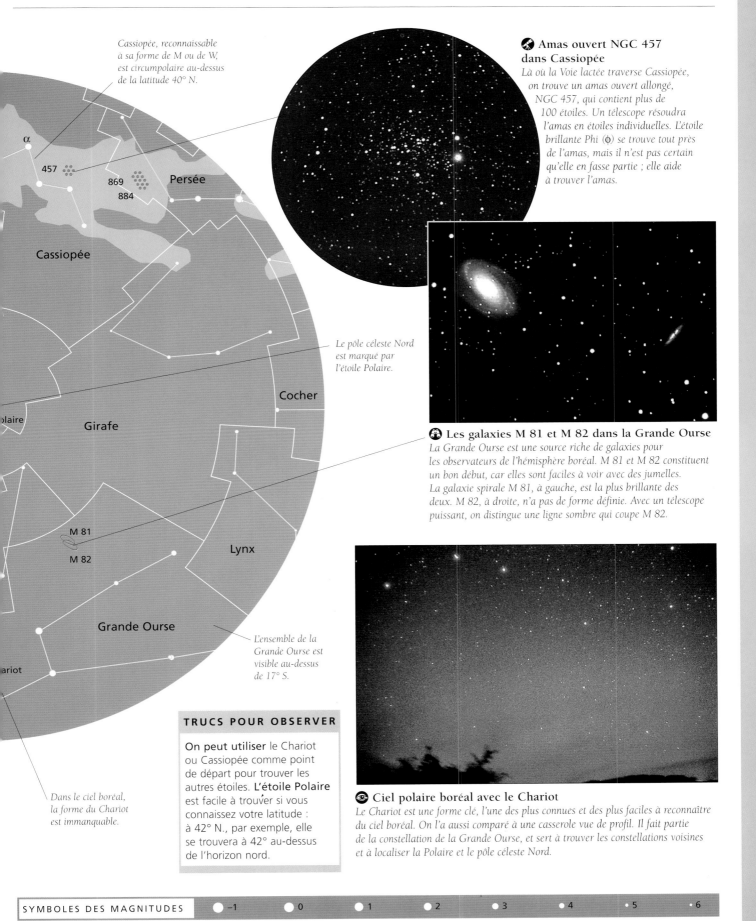

Cassiopée, reconnaissable à sa forme de M ou de W, est circumpolaire au-dessus de la latitude 40° N.

α

457

869
884

Persée

Cassiopée

Le pôle céleste Nord est marqué par l'étoile Polaire.

Cocher

Girafe

M 81

M 82

Lynx

Grande Ourse

L'ensemble de la Grande Ourse est visible au-dessus de 17° S.

Chariot

Dans le ciel boréal, la forme du Chariot est immanquable.

Amas ouvert NGC 457 dans Cassiopée

Là où la Voie lactée traverse Cassiopée, on trouve un amas ouvert allongé, NGC 457, qui contient plus de 100 étoiles. Un télescope résoudra l'amas en étoiles individuelles. L'étoile brillante Phi (φ) se trouve tout près de l'amas, mais il n'est pas certain qu'elle en fasse partie ; elle aide à trouver l'amas.

Les galaxies M 81 et M 82 dans la Grande Ourse

La Grande Ourse est une source riche de galaxies pour les observateurs de l'hémisphère boréal. M 81 et M 82 constituent un bon début, car elles sont faciles à voir avec des jumelles. La galaxie spirale M 81, à gauche, est la plus brillante des deux. M 82, à droite, n'a pas de forme définie. Avec un télescope puissant, on distingue une ligne sombre qui coupe M 82.

TRUCS POUR OBSERVER

On peut utiliser le Chariot ou Cassiopée comme point de départ pour trouver les autres étoiles. **L'étoile Polaire** est facile à trouver si vous connaissez votre latitude : à 42° N., par exemple, elle se trouvera à 42° au-dessus de l'horizon nord.

Ciel polaire boréal avec le Chariot

Le Chariot est une forme clé, l'une des plus connues et des plus faciles à reconnaître du ciel boréal. On l'a aussi comparé à une casserole vue de profil. Il fait partie de la constellation de la Grande Ourse, et sert à trouver les constellations voisines et à localiser la Polaire et le pôle céleste Nord.

| SYMBOLES DES MAGNITUDES | ● −1 | ● 0 | ● 1 | ● 2 | ● 3 | ● 4 | • 5 | • 6 |

LE CIEL POLAIRE BORÉAL : constellations clés

La Grande Ourse et la Petite Ourse sont les panneaux de signalisation du ciel polaire boréal : quand on les a trouvées, il est facile de localiser le pôle céleste, marqué par la Polaire. Avec la rotation de la Terre, les deux constellations tournent autour du pôle, parfois au-dessus, parfois au-dessous.

CÉPHÉE *Cepheus*

Céphée et Cassiopée, qui évoquent un roi et une reine d'Éthiopie mythiques, sont voisines dans le ciel. Céphée contient des amas stellaires et des étoiles remarquables, telles Mu (μ), l'étoile Grenat, et Delta (δ), la première céphéide découverte, qui a donné son nom à toute cette catégorie.

L'étoile Grenat (μ)
Cette étoile rouge est facile à localiser au-dessous du motif principal de Céphée.

LA PETITE OURSE

La Polaire, située au bout de la queue de l'ourse, est très proche du pôle céleste Nord, et paraît immobile tandis que les autres étoiles tournent autour d'elle. C'est une étoile variable de type céphéide, dont la luminosité varie tous les quatre jours.

La Polaire marque le pôle céleste Nord.

La Polaire
Toutes les étoiles de la Petite Ourse, y compris la Polaire, sont facilement visibles à l'œil nu.

Delta (δ) est une supergéante jaune, avec un compagnon bleu-blanc.

LA GRANDE OURSE *Ursa Major*

Sept étoiles brillantes de la Grande Ourse composent le Chariot, l'une des formes les plus familières du ciel boréal. Mais la constellation entière est beaucoup plus étendue, le Chariot ne représentant que l'arrière-train et la queue de l'ourse. Mizar, dans la queue, est une étoile multiple. Près de la tête de l'ourse, on trouve deux galaxies, M 81 et M 82.

Mizar (magnitude 2) est une étoile multiple, avec un compagnon proche, Alcor (magnitude 4).

La galaxie spirale M 81
Dans un télescope, cette galaxie apparaît ovale, avec un centre brillant. Dans de bonnes conditions, M 81 est visible à l'œil nu.

M 81 est une galaxie elliptique, et M 82, une galaxie irrégulière.

La galaxie M 108 apparaît dans des jumelles comme une tache faible.

LES OBJETS DU CIEL PROFOND — Voie lactée — Galaxie — Amas globulaire — Amas ouvert — Nébuleuse diffuse — Nébuleuse planétaire

LE DRAGON *Draco*

Le Dragon n'est pas une constellation facile à repérer : c'est l'une des plus grandes du ciel, et elle s'enroule autour de la Petite Ourse. Commencez par trouver les quatre étoiles qui forment la tête du dragon ; il faut ensuite de l'imagination pour voir le reste. La constellation est connue pour ses étoiles doubles : Nu (ν), l'étoile la plus faible de la tête du dragon, est une étoile double écartée, visible avec des jumelles.

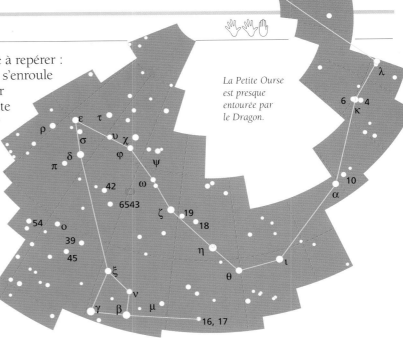

La Petite Ourse est presque entourée par le Dragon.

👁 **Les étoiles du Dragon**
Les étoiles les plus évidentes se trouvent dans la tête du dragon ; les autres sont plus difficiles à repérer à l'œil nu.

LA GIRAFE *Camelopardalis*

On trouve cette constellation entre celle du Cocher (p. 112) et l'étoile Polaire (voir ci-contre). La girafe est étendue, mais renferme peu d'objets intéressants : l'étoile la plus brillante, Bêta (β), n'est que de magnitude 4 ; cette étoile permet de trouver l'amas ouvert NGC 1502, visible avec des jumelles comme une tache lumineuse.

🔭 **La Cascade de Kemble**
Ce cordon d'environ 25 étoiles avoisine l'amas NGC 1502 ; seules ses étoiles les plus brillantes sont visibles à l'œil nu.

CASSIOPÉE *Cassiopeia*

Les étoiles brillantes de Cassiopée sont bien reconnaissables dans le ciel, formant un W quand elles sont au-dessous du pôle, un M quand elles sont au-dessus. La plus intéressante est Gamma (γ), une géante bleue qui change de luminosité en émettant des anneaux de gaz. Cassiopée abrite aussi plusieurs amas stellaires, dont l'amas ouvert M 52 et l'amas ouvert NGC 457, de forme allongée.

M 103 est un amas stellaire, visible avec de grosses jumelles.

NGC 457 est un bel amas ouvert.

🔭 **Les étoiles de Cassiopée**
La forme caractéristique de Cassiopée est facile à repérer à l'œil nu. À l'intérieur du W ou M, des jumelles ou un télescope permettent d'observer des quantités d'objets stellaires.

SYMBOLES DES MAGNITUDES   ● −1   ○ 0   ○ 1   ● 2   ● 3   ● 4   ● 5   ● 6

LE CIEL POLAIRE AUSTRAL

Certaines constellations restent dans le ciel en permanence pour les observateurs de l'hémisphère austral, selon la latitude : elles ne se couchent jamais, et paraissent décrire un cercle autour d'un point du ciel. Ce point est le pôle céleste Sud, et les étoiles qui l'entourent, dites circumpolaires, accomplissent un tour de ciel en un peu moins de 24 heures. (Les constellations clés se trouvent en pp. 102-103.)

TROUVER LES CONSTELLATIONS

Le pôle céleste Sud est au centre de la carte. Un observateur au pôle Sud de la Terre aurait ce point juste au-dessus de lui, et toutes les étoiles autour resteraient visibles en permanence. Un observateur situé plus au nord verrait le pôle céleste plus bas dans le ciel. Réglez le planisphère pour voir quelles étoiles sont circumpolaires pour vous.

Le Toucan n'est complètement visible qu'au-dessous de 14° N.

Cette tache de lumière brumeuse est le Petit Nuage de Magellan, circumpolaire au-dessous de 20° S.

La Dorade est entièrement visible au-dessous de 20° N.

Le Grand Nuage de Magellan est toujours visible au-dessous de 25° S.

Phénix
Achernar
Horloge
Réticule
47 Tuca
Petit Nuage de Magellan
Hydre mâle
Dorade
Peintre
Grand Nuage de Magellan
Nébuleuse de la Tarentule
Table
Caméléon
Poupe
Poisson volant
Carène
3372
3532
Voiles

La Dorade et le Toucan
Ces constellations sont faciles à trouver dans le ciel polaire austral, car elles contiennent chacune une galaxie visible à l'œil nu, les Grand et Petit Nuages de Magellan, nommés d'après le célèbre explorateur. Le grand nuage, en haut du cliché, est dans la Dorade, et le petit dans le Toucan.

Amas globulaire dans le Toucan
47 Tucanae est l'amas globulaire le plus spectaculaire du ciel austral, après Oméga Centauri. Proche du Petit Nuage de Magellan, il est observable à l'œil nu et avec des jumelles, mais un petit télescope en donne une vision inoubliable.

LES OBJETS DU CIEL PROFOND	Voie lactée	Galaxie	Amas globulaire	Amas ouvert	Nébuleuse diffuse	Nébuleuse planétaire

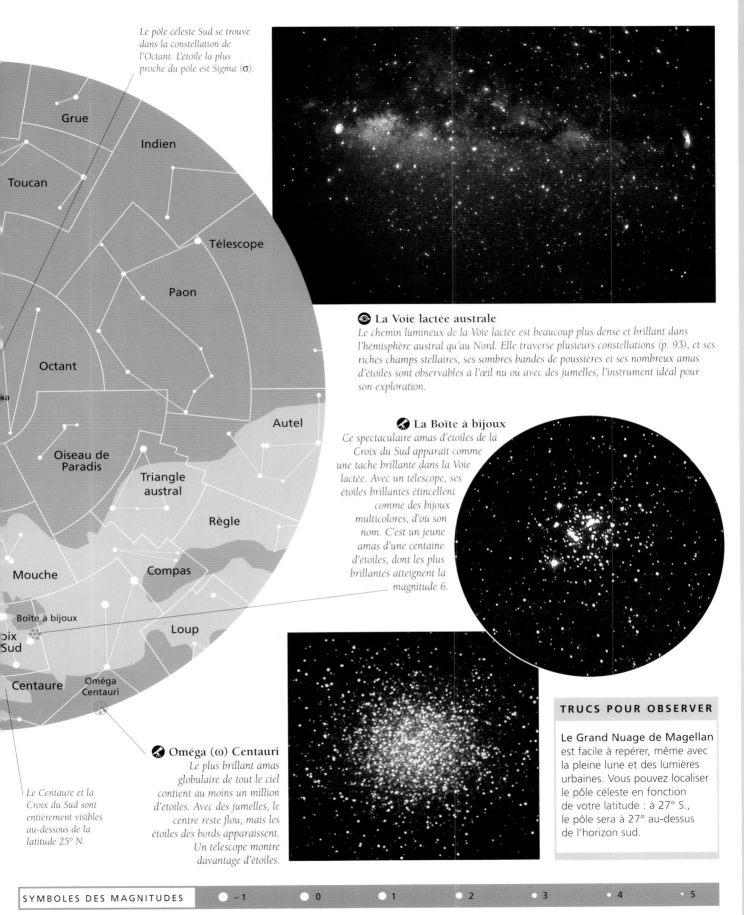

Le pôle céleste Sud se trouve dans la constellation de l'Octant. L'étoile la plus proche du pôle est Sigma (σ).

Grue

Indien

Toucan

Télescope

Paon

Octant

Autel

Oiseau de Paradis

Triangle austral

Règle

Mouche

Compas

Boîte à bijoux

Loup

oix Sud

Centaure Oméga Centauri

👁 La Voie lactée australe

Le chemin lumineux de la Voie lactée est beaucoup plus dense et brillant dans l'hémisphère austral qu'au Nord. Elle traverse plusieurs constellations (p. 93), et ses riches champs stellaires, ses sombres bandes de poussières et ses nombreux amas d'étoiles sont observables à l'œil nu ou avec des jumelles, l'instrument idéal pour son exploration.

🔭 La Boîte à bijoux

Ce spectaculaire amas d'étoiles de la Croix du Sud apparaît comme une tache brillante dans la Voie lactée. Avec un télescope, ses étoiles brillantes étincellent comme des bijoux multicolores, d'où son nom. C'est un jeune amas d'une centaine d'étoiles, dont les plus brillantes atteignent la magnitude 6.

🔭 Oméga (ω) Centauri

Le plus brillant amas globulaire de tout le ciel contient au moins un million d'étoiles. Avec des jumelles, le centre reste flou, mais les étoiles des bords apparaissent. Un télescope montre davantage d'étoiles.

Le Centaure et la Croix du Sud sont entièrement visibles au-dessous de la latitude 25° N.

TRUCS POUR OBSERVER

Le **Grand Nuage de Magellan** est facile à repérer, même avec la pleine lune et des lumières urbaines. Vous pouvez localiser le pôle céleste en fonction de votre latitude : à 27° S., le pôle sera à 27° au-dessus de l'horizon sud.

SYMBOLES DES MAGNITUDES   ● –1   ● 0   ● 1   ● 2   ● 3   • 4   · 5

LE CIEL POLAIRE AUSTRAL : constellations clés

Les constellations proches du pôle céleste Sud offrent l'un des plus beaux spectacles du ciel. Les principales, la Croix du Sud et le Centaure, sont traversées par la Voie lactée, et toutes deux contiennent des étoiles brillantes et de beaux amas stellaires. Même les constellations mineures de la Dorade et du Toucan contiennent les Nuages de Magellan, galaxies satellites de la nôtre.

LA CROIX DU SUD *Crux*

Facile à trouver, la plus petite constellation du ciel offre une moisson d'objets intéressants. Ses quatre étoiles les plus brillantes marquent la forme de la croix et se détachent sur la Voie lactée. Une nébuleuse sombre (p. 88), le Sac à charbon, tranche sur le fond de la Voie lactée, dont elle bloque la lumière. Un magnifique amas ouvert visible à l'œil nu, la Boîte à bijoux, se trouve entre le Sac à charbon et Bêta (β).

La Boîte à bijoux est un amas ouvert étincelant.

◉ Les étoiles de la Croix du Sud
Trois étoiles blanches et une étoile orange-rouge, Gamma (γ), forment la croix. Près de Bêta (β) se trouve la Boîte à bijoux, dont l'étoile la plus brillante, Kappa (κ), est visible à l'œil nu.

LE CENTAURE *Centaurus*

Comme la Croix du Sud, la vaste et intéressante constellation du Centaure est dans la Voie lactée. Ses deux étoiles les plus brillantes, Alpha (α) ou Rigil Kentarus, et Bêta (β) ou Agena, marquent les membres antérieurs du centaure. Près de Rigil Kentarus se trouve une étoile de magnitude 11, appelée Proxima (non illustrée), car elle est la plus proche de la Terre, à moins de 4,3 années-lumière. L'amas globulaire le plus spectaculaire du ciel, Oméga Centauri, est près du centre. Le Centaure contient quelques beaux amas stellaires, une nébuleuse planétaire et une galaxie particulière, NGC 5128 ou Centaurus A, qui est une forte radiosource.

⊘ NGC 5128
Cette galaxie particulière est coupée en deux par une bande sombre de poussières ; elle est visible avec un télescope ou, dans de bonnes conditions, avec des jumelles géantes. Les ondes radio sont émises par deux lobes latéraux invisibles.

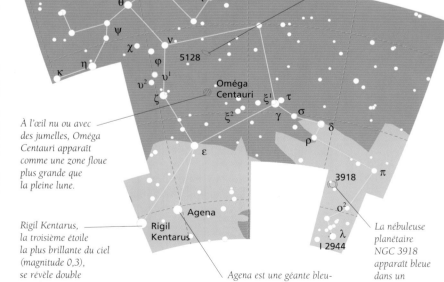

NGC 5128 est visible avec un petit télescope.

À l'œil nu ou avec des jumelles, Oméga Centauri apparaît comme une zone floue plus grande que la pleine lune.

Rigil Kentarus, la troisième étoile la plus brillante du ciel (magnitude 0,3), se révèle double au télescope.

Agena est une géante bleu-blanc de magnitude 0,6.

La nébuleuse planétaire NGC 3918 apparaît bleue dans un télescope.

| LES OBJETS DU CIEL PROFOND | Voie lactée | Galaxie | Amas globulaire | Amas ouvert | Nébuleuse diffuse | Nébuleuse planétaire |

LA CARÈNE *Carina*

À l'extrême droite de la constellation se trouve l'étoile brillante Canopus, mais c'est le côté gauche, traversé par la Voie lactée, qui est le plus riche en étoiles, amas et nébuleuses. Êta (η), visible à l'œil nu, est une supergéante instable, 100 fois plus massive que notre Soleil et située au centre de la nébuleuse diffuse NGC 3372.

Canopus (magnitude − 0,8) est la deuxième étoile la plus brillante du ciel.

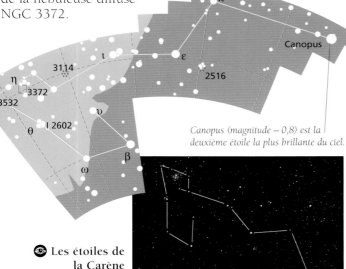

👁 **Les étoiles de la Carène**
Les amas stellaires de la Carène sont observables à l'œil nu ou avec des jumelles.

LA DORADE *Dorado*

La Dorade contient l'essentiel du Grand Nuage de Magellan (GNM), la galaxie la plus proche de nous. Cette galaxie est visible à l'œil nu comme une tache lumineuse de la taille de la pleine lune ; à l'intérieur, on distingue un objet flou, la nébuleuse de la Tarentule (NGC 2070), que des jumelles montrent comme un nuage de gaz traversé de filaments.

Bêta (β) est une céphéide (p. 87).

GNM
Nébuleuse de la Tarentule

🔭 **Le Grand Nuage de Magellan**
Des jumelles ou un télescope montrent la forme irrégulière de cette galaxie, et des centaines de ses étoiles.

L'OCTANT *Octans*

La plupart des étoiles de l'Octant sont peu lumineuses, difficiles à voir à l'œil nu. La constellation contient pourtant le pôle céleste Sud ; l'étoile la plus proche du pôle est Sigma (σ). L'Octant contient aussi Melotte 227, le plus austral des amas ouverts visibles.

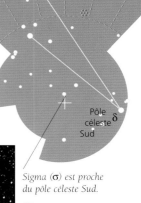

Pôle céleste Sud

Sigma (σ) est proche du pôle céleste Sud.

👁 **Les étoiles de l'Octant**
Les étoiles principales forment le triangle de l'octant ; aucune n'est plus brillante que la magnitude 4.

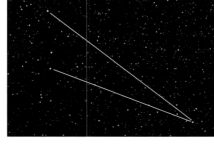

LE TOUCAN *Tucana*

La constellation du Toucan contient le Petit Nuage de Magellan (PNM) et 47 Tucanae, deux objets fascinants proches du pôle céleste. Le PNM est visible à l'œil nu, et des jumelles ou un télescope montreront quelques-uns de ses amas et nébuleuses. L'amas globulaire 47 Tucanae comprend des dizaines de milliers d'étoiles.

Les composantes multiples de l'étoile Bêta (β) sont visibles au télescope.

362
PNM
47 Tucanae

47 Tucanae est l'un des plus beaux amas stellaires du ciel.

👁 **Le Petit Nuage de Magellan**
En forme de virgule, c'est la plus petite des deux galaxies satellites de la Voie lactée. L'autre est son compagnon, le Grand Nuage de Magellan.

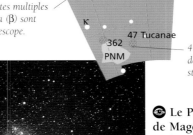

SYMBOLES DES MAGNITUDES ● −1 ● 0 ● 1 ● 2 ● 3 ● 4 · 5 · 6

À TRAVERS LE ZODIAQUE

Douze constellations sont particulièrement intéressantes pour les astronomes, parce qu'elles sont traversées par l'écliptique, le trajet apparent du Soleil à travers les étoiles (p. 38). On appelle zodiaque l'ensemble de ces constellations, et le Soleil met environ un mois à traverser chacune d'elles, complétant le cycle en un an. L'écliptique figure sur la carte ci-dessous, et vous trouverez dans les pages suivantes une carte de chaque constellation, détaillant les objets les plus intéressants.

TROUVER LES CONSTELLATIONS

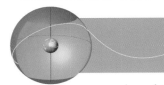

Le zodiaque est visible du monde entier, mais les observateurs de l'hémisphère boréal auront du mal à voir les constellations les plus australes, comme le Scorpion, et ceux du Sud les constellations les plus boréales, comme les Gémeaux. Utilisez le planisphère pour savoir ce qui se trouve dans le ciel sous votre latitude.

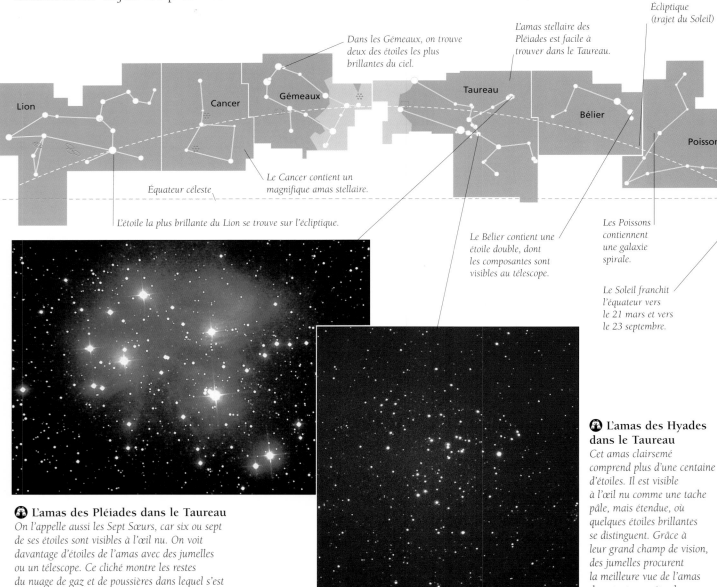

Dans les Gémeaux, on trouve deux des étoiles les plus brillantes du ciel.

L'amas stellaire des Pléiades est facile à trouver dans le Taureau.

Écliptique (trajet du Soleil)

Lion — Cancer — Gémeaux — Taureau — Bélier — Poissons

Le Cancer contient un magnifique amas stellaire.

Équateur céleste

L'étoile la plus brillante du Lion se trouve sur l'écliptique.

Le Bélier contient une étoile double, dont les composantes sont visibles au télescope.

Les Poissons contiennent une galaxie spirale.

Le Soleil franchit l'équateur vers le 21 mars et vers le 23 septembre.

☉ L'amas des Pléiades dans le Taureau
On l'appelle aussi les Sept Sœurs, car six ou sept de ses étoiles sont visibles à l'œil nu. On voit davantage d'étoiles de l'amas avec des jumelles ou un télescope. Ce cliché montre les restes du nuage de gaz et de poussières dans lequel s'est formé l'amas.

☉ L'amas des Hyades dans le Taureau
Cet amas clairsemé comprend plus d'une centaine d'étoiles. Il est visible à l'œil nu comme une tache pâle, mais étendue, où quelques étoiles brillantes se distinguent. Grâce à leur grand champ de vision, des jumelles procurent la meilleure vue de l'amas dans toute son étendue.

LES OBJETS DU CIEL PROFOND	Voie lactée	Galaxie	Amas globulaire	Amas ouvert	Nébuleuse diffuse	Nébuleuse planétaire

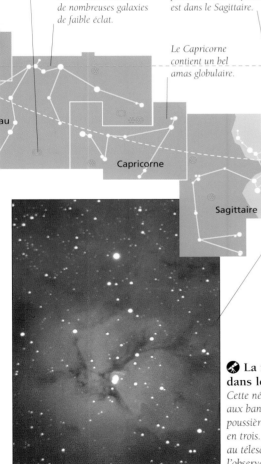

⊛ La nébuleuse Hélix dans le Verseau
*Vue dans des jumelles, la nébuleuse Hélix est ronde ;
dans un télescope ou sur un cliché à longue pose, sa
forme caractéristique apparaît. Elle est constituée de
matière éjectée par une étoile mourante (pp. 88-89).*

OPHIUCUS, LA 13ᵉ CONSTELLATION ZODIACALE

Bien qu'on considère traditionnellement qu'il n'y a que douze
constellations zodiacales, le Soleil traverse également la partie australe
d'Ophiucus, le Serpentaire, ce qui en fait une constellation zodiacale.
Ophiucus est une grande constellation formée de nombreuses étoiles
peu lumineuses et clairsemées, et située au nord du Scorpion et au sud
d'Hercule.

⊛ Rhô (ρ) est un système de 3 étoiles entourées de gaz et de poussières.

*Le Verseau contient
de nombreuses galaxies
de faible éclat.*

*La position du Soleil le
plus au sud de l'équateur
est dans le Sagittaire.*

*Le Capricorne
contient un bel
amas globulaire.*

*Ophiucus
comprend de
nombreux
amas stellaires.*

*La Vierge abrite l'une des
étoiles les plus brillantes du ciel.*

Ophiucus

Balance

Vierge

Capricorne

Sagittaire

Scorpion

*La Balance contient de
nombreuses étoiles doubles.*

*La plus grande partie
du Scorpion se trouve
dans la Voie lactée.*

**⊛ La nébuleuse Trifide
dans le Sagittaire**
*Cette nébuleuse doit son nom
aux bandes sombres de
poussières qui la partagent
en trois. Pour bien la voir
au télescope, il vaut mieux
l'observer haut dans le ciel.*

⊛ L'amas de la Vierge
*Cet amas contient environ 2 500 galaxies. C'est le plus proche de
la Terre, situé à quelque 50 millions d'années-lumière. C'est aussi l'un
des plus grands amas de galaxies connus, et un beau spectacle à observer
au télescope.*

SYMBOLES DES MAGNITUDES   ⬤ −1   ⬤ 0   ⬤ 1   ● 2   • 3   • 4   · 5

LES CONSTELLATIONS ZODIACALES 1

Le Lion et le Taureau sont de splendides constellations, avec des étoiles brillantes et des formes bien définies. Le Taureau, superbe constellation d'hiver dans le ciel boréal, présente deux amas stellaires remarquables, les Hyades et les Pléiades. Près du Taureau, les Gémeaux marquent la position la plus boréale du Soleil dans son trajet annuel. (Toutes ces constellations figurent dans les cartes célestes des pp. 110-131.)

LE LION *Leo*

La forme d'un lion est bien reconnaissable : les étoiles brillantes du corps et de la tête penchée sont faciles à trouver dans le ciel. Sous le ventre du lion, cinq galaxies sont visibles avec des jumelles. C'est du Lion que rayonne chaque année en novembre la pluie de météores des Léonides (pp. 74-75).

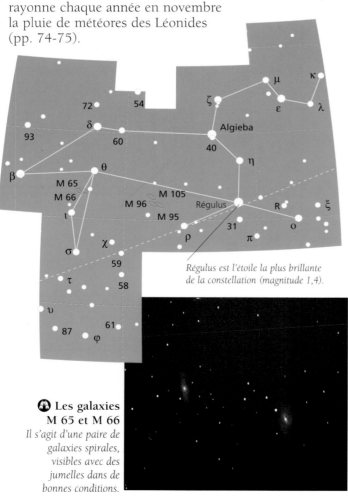

Régulus est l'étoile la plus brillante de la constellation (magnitude 1,4).

🔭 **Les galaxies M 65 et M 66**
Il s'agit d'une paire de galaxies spirales, visibles avec des jumelles dans de bonnes conditions.

LE CANCER *Cancer*

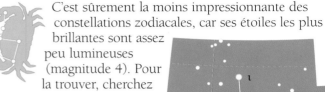

C'est sûrement la moins impressionnante des constellations zodiacales, car ses étoiles les plus brillantes sont assez peu lumineuses (magnitude 4). Pour la trouver, cherchez entre les étoiles brillantes du Lion et des Gémeaux. Au centre du Cancer, Praesepe (M 44), ou la Ruche, est un bel amas ouvert.

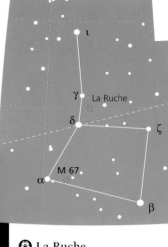

🔭 **La Ruche**
À travers des jumelles, cet amas stellaire ressemble à un essaim d'abeilles, d'où son nom.

LES GÉMEAUX *Gemini*

Castor (magnitude 1,6) et Pollux (magnitude 1,2), les deux étoiles brillantes qui marquent la tête des jumeaux, sont immanquables dans le ciel boréal d'hiver. C'est de cette région, près de Castor, que la pluie de météores des Géminides rayonne tous les ans en décembre.

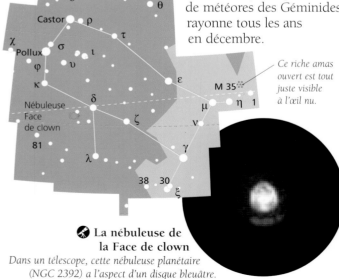

Ce riche amas ouvert est tout juste visible à l'œil nu.

🔭 **La nébuleuse de la Face de clown**
Dans un télescope, cette nébuleuse planétaire (NGC 2392) a l'aspect d'un disque bleuâtre.

LES OBJETS DU CIEL PROFOND | Voie lactée | Galaxie | Amas globulaire | Amas ouvert | Nébuleuse diffuse | Nébuleuse planétaire

LE TAUREAU *Taurus*

C'est une belle constellation, aussi bien à l'œil nu qu'avec des jumelles. L'étoile la plus brillante, Aldébaran (magnitude 0,85), est une géante rouge parfois nommée l'Œil du taureau. Deux des plus beaux amas stellaires du ciel se trouvent dans le Taureau : les Pléiades, ou les Sept Sœurs, qui contiennent une centaine d'étoiles, dont un bon nombre d'étoiles doubles ; et le grand amas des Hyades, qui forme le V de la face du taureau.

Les Pléiades sont superbes à travers des jumelles.

Les Hyades forment un amas stellaire étendu.

✶ **La nébuleuse du Crabe**
Reste d'une supernova qui a explosé en 1054. La forme de crabe est visible au télescope.

LE BÉLIER *Aries*

Le Bélier soutient mal la comparaison avec son voisin, le Taureau : il n'a qu'une étoile brillante, Hamal (« bélier » en arabe), de magnitude 2, qu'on peut trouver en se déplaçant vers la droite à partir des Pléiades (voir ci-dessus). La tête du bélier contient plusieurs étoiles moins brillantes que Hamal, dont deux étoiles doubles, visibles comme telles avec des jumelles ou un petit télescope.

👁 **Les étoiles du Bélier**
La forme d'un bélier accroupi est tout juste discernable dans les étoiles du Bélier. Les étoiles les plus brillantes de la constellation sont à droite, là où le Bélier touche les Poissons.

Lambda (λ) et Gamma (γ) sont toutes deux des étoiles doubles.

LES POISSONS *Pisces*

La constellation représente deux poissons reliés par une corde ; elle est peu remarquable, n'ayant pas d'étoiles brillantes, mais seulement un astérisme (groupe d'étoiles) intéressant : l'Anneau, ovale d'étoiles situé juste au sud du Grand Carré de Pégase (p. 128).

✶ **La galaxie M 74**
Cette spirale peu brillante se présente de face, mais n'est visible qu'avec un grand télescope ou une caméra CCD.

M 74 n'est visible dans un petit télescope que comme une tache floue arrondie.

L'Anneau est facile à trouver, car il y a peu d'étoiles autour de lui.

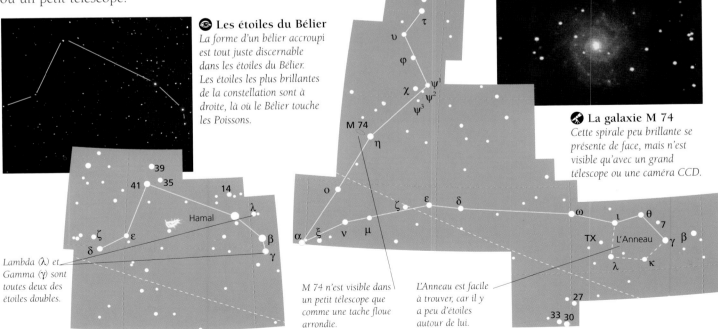

| SYMBOLES DES MAGNITUDES | ● −1 | ● 0 | ● 1 | ● 2 | ● 3 | ● 4 | · 5 | · 6 |

LES CONSTELLATIONS ZODIACALES 2

Le Sagittaire, le Scorpion et la Vierge sont les constellations les plus impressionnantes du zodiaque, avec des étoiles brillantes et des objets du ciel profond observables à l'œil nu, avec des jumelles ou au télescope. (Elles figurent dans les cartes célestes des pp. 110-131.)

LE VERSEAU *Aquarius*

Cette constellation contient quelques nébuleuses planétaires (p. 88) et amas globulaires (p. 87) intéressants. Avec des jumelles, la nébuleuse Hélix (NGC 7293) se présente comme une tache brumeuse. Dans des jumelles, la nébuleuse Saturne (NGC 7009) n'est qu'un point de lumière verdâtre, mais au télescope, elle prend l'apparence de la planète Saturne.

La grande nébuleuse Hélix est à 450 années-lumière de la Terre.

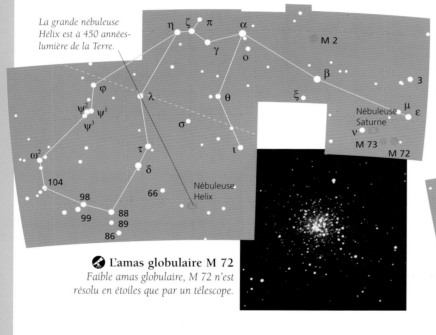

Nébuleuse Saturne

Nébuleuse Helix

🔭 **L'amas globulaire M 72**
Faible amas globulaire, M 72 n'est résolu en étoiles que par un télescope.

LE SAGITTAIRE *Sagittarius*

La constellation se trouve dans la direction du centre dense de notre galaxie, la Voie lactée, région riche en nébuleuses et amas stellaires. Parmi les plus intéressants de ces objets, tous observables avec des jumelles, citons la nébuleuse du Lagon (M 8), visible à l'œil nu, les nébuleuses Trifide (M 20) et Oméga (M 17), et les amas stellaires M 21, M 22 et M 23.

🔭 **La nébuleuse Oméga**
Un télescope montre les nuages de gaz colorés de cette nébuleuse.

M 22 est un amas globulaire brillant.

Nébuleuse Oméga
Nébuleuse Trifide
Nébuleuse du Lagon

La nébuleuse du Lagon est visible à l'œil nu.

Bêta (β) est une étoile multiple.

LE CAPRICORNE *Capricornus*

C'est la plus petite constellation zodiacale, et l'une des moins remarquables. La constellation, qui représente une chèvre à queue de poisson, n'a qu'une étoile brillante, Deneb Algiedi, et un amas globulaire, M 30. Avec une bonne vue, on peut séparer Alpha (α) en deux étoiles jaunâtres.

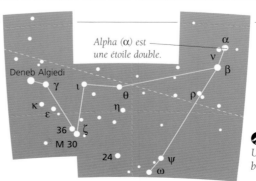

Alpha (α) est une étoile double.

Deneb Algiedi

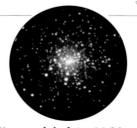

🔭 **L'amas globulaire M 30**
Un petit télescope révèle le noyau brillant de cet amas.

LES OBJETS DU CIEL PROFOND — Voie lactée — Galaxie — Amas globulaire — Amas ouvert — Nébuleuse diffuse — Nébuleuse planétaire

LE SCORPION *Scorpius*

Comme le Sagittaire, le Scorpion se trouve dans la direction de la Voie lactée et, par une belle nuit sombre, on peut y voir à l'œil nu des champs stellaires riches et des bandes de poussières sombres. L'étoile la plus brillante du Scorpion est Antarès, une supergéante rouge facile à localiser, dans la tête du scorpion. Graffias est également facile à voir à l'œil nu, mais un télescope la révèle double.

Ces étoiles marquent le dard du scorpion.

Antarès est au moins 250 fois plus grande que le Soleil.

✦ L'amas stellaire M 7

Ce brillant amas ouvert d'environ 80 étoiles couvre 1° de ciel. À l'œil nu, ce n'est qu'une tache, mais des jumelles ou un télescope montrent les étoiles qui le composent.

LA BALANCE *Libra*

Cette constellation occupe une région déserte du ciel, entre le Scorpion et la Vierge ; elle faisait autrefois partie du Scorpion, dont elle représentait les pinces, origine qu'on retrouve dans les noms arabes de ses étoiles : Alpha (α) ou Zuben el-Genubi (« la pince sud »), et Bêta (β) ou Zuben el-Schemali (« la pince nord »), qui apparaît nettement verte, même à l'œil nu.

Delta (δ) est une binaire à éclipses (p. 87).

Des jumelles montrent que Zuben el-Genubi est une étoile double.

👁 Les étoiles de la Balance

Les étoiles Alpha (α), Bêta (β) et Sigma (σ), à droite du cliché, sont les plus faciles à identifier.

LA VIERGE *Virgo*

C'est la constellation qui contient le plus de galaxies brillantes. Beaucoup appartiennent à l'amas de la Vierge, un groupe de 2 500 galaxies, qui s'étend de la Vierge à la Chevelure de Bérénice (p. 121). M 84, M 86 et M 87 sont visibles avec des jumelles, et mieux encore au télescope. La galaxie du Sombrero (M 104), qui n'appartient pas à l'amas, est la plus brillante et l'une des galaxies les plus massives connues.

✦ La galaxie du Sombrero

Beau spectacle au télescope, le Sombrero est une galaxie spirale que nous voyons de profil.

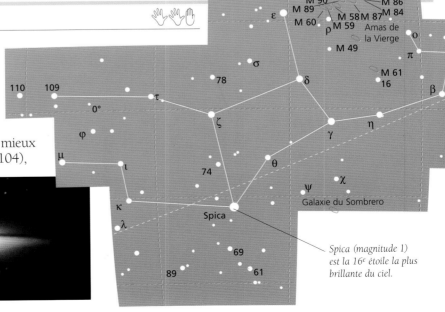

Spica (magnitude 1) est la 16e étoile la plus brillante du ciel.

LE CIEL DE JANVIER ET FÉVRIER

Le ciel nocturne est superbe en janvier et février. En vedette figure Sirius, du Grand Chien, l'étoile la plus brillante du ciel. Les Gémeaux et le Taureau (pp. 106-107) marquent la limite boréale du zodiaque. Au sud du Taureau resplendit Orion, dont on peut voir une partie de n'importe quel point du globe. (Les constellations clés sont en pp. 112-113.)

TROUVER LES CONSTELLATIONS

Réglez le planisphère pour savoir quelles constellations sont visibles au lieu et à l'heure qui vous concernent. Les observateurs de l'hémisphère boréal verront le Cocher au zénith et Orion au-dessus de l'horizon. Ceux du Sud verront également bien Orion, et le Grand Chien au zénith.

👁 Le ciel de janvier et février
Au début de l'année, il y a beaucoup d'étoiles brillantes dans le ciel, comme celles d'Orion, à droite du cliché. Quand vos yeux se seront accoutumés à l'obscurité, vous verrez beaucoup plus d'étoiles.

🔭 M 41, dans le Grand Chien
L'amas stellaire M 41 se trouve juste au sud de Sirius. C'est un jeune amas, seulement de 100 millions d'années environ. Parmi ses 80 étoiles, beaucoup sont visibles avec des jumelles.

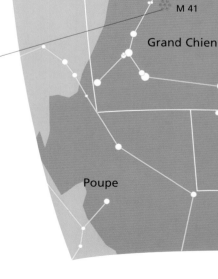

La constellation des Gémeaux, avec ses étoiles brillantes Castor et Pollux, est entièrement visible au-dessus de 55° S.

Procyon attire l'œil sur la constellation du Petit Chien. Sirius (Grand Chien), Bételgeuse (Orion) et Procyon forment un triangle d'étoiles brillantes.

Les constellations voisines de la Voie lactée sont toujours intéressantes à explorer avec des jumelles : la Licorne, par exemple, contient plusieurs beaux amas stellaires.

Sirius éclipse toutes les autres étoiles du ciel. Son nom vient du grec « ardent ».

Lynx

Castor

Pollux

Gémeaux

Petit Chien

Procyon

2244

Licorne

Sirius

M 41

Grand Chien

Poupe

| LES OBJETS DU CIEL PROFOND | Voie lactée | Galaxie | Amas globulaire | Amas ouvert | Nébuleuse diffuse | Nébuleuse planétaire |

JANVIER FÉVRIER MARS AVRIL MAI JUIN JUILLET AOÛT SEPTEMBRE OCTOBRE NOVEMBRE DÉCEMBRE

L'amas stellaire M 38,
vu au télescope,
a une vague forme
de croix.

Cocher

Persée

M 38

M 36

7

Taureau

Les Hyades

Orion

lgeuse

M 42

Éridan

Lièvre

Colombe

Burin

L'amas stellaire M 36 dans le Cocher

*La constellation du Cocher contient trois amas
stellaires, situés le long de la Voie lactée.
M 36 est un bon sujet d'observation
au télescope, qui permet de voir
les étoiles individuelles de l'amas.
La plus brillante de ces étoiles est de
magnitude 8, les autres, beaucoup
moins lumineuses, tournant autour
de la magnitude 13.*

*L'amas des Hyades, l'un des plus beaux
du ciel d'hiver boréal, contient des
centaines d'étoiles. Plus de 100 sont
plus brillantes que la magnitude 9.*

*Orion, le chasseur, chevauche
l'équateur céleste : la partie
supérieure de son corps se trouve dans
le ciel boréal, le baudrier et la partie
inférieure dans le ciel austral.*

La Voie lactée

*La Voie lactée, cloutée d'étoiles,
traverse le ciel boréal en hiver. On
la voit mieux par une belle nuit
sombre, loin des lumières de
la ville. Des jumelles y révèlent
des centaines d'étoiles.*

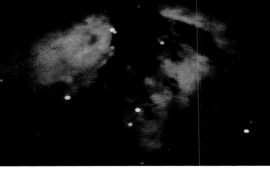

La nébuleuse de la Flamme dans Orion

*La constellation d'Orion offre de beaux spectacles : la nébuleuse
Flamme se trouve proche de la Grande Nébuleuse d'Orion.
Plusieurs étoiles brillantes se détachent sur le fond brumeux du
gaz et de la poussière de cette nébuleuse. Mais il faut un télescope
pour découvrir toute la beauté de cette tache nuageuse.*

TRUCS POUR OBSERVER

**La Grande Nébuleuse
d'Orion** est visible à l'œil nu ;
si vous avez du mal à la voir,
utilisez la vision périphérique
(p. 15).

Ne cherchez pas d'objets
peu brillants en période de
pleine lune, car le ciel est
trop lumineux. Attendez un
ciel aussi noir que possible.

La magnitude indiquée
pour un amas, dans les pages
suivantes, correspond à la
luminosité cumulée des étoiles
de l'amas.

SYMBOLES DES MAGNITUDES   ● −1   ● 0   ● 1   ● 2   ● 3   ● 4   ● 5

(marge gauche, de bas en haut) JANVIER FÉVRIER · MARS · AVRIL · MAI · JUIN · JUILLET · AOÛT · SEPTEMBRE · OCTOBRE · NOVEMBRE · DÉCEMBRE

JANVIER ET FÉVRIER : constellations clés

Les constellations clés des mois de janvier et février contiennent une foule d'étoiles brillantes et d'objets du ciel profond. La forme bien reconnaissable d'Orion domine la nuit : cette constellation est l'une des plus belles du ciel. La Poupe et la Licorne sont à cheval sur la Voie lactée, où l'on trouve de riches champs d'étoiles et des objets intéressants à observer avec des jumelles ou un télescope. Beaucoup de ces objets se prêtent bien à l'astrophotographie.

LE COCHER *Auriga*

Capella (la Chèvre), l'étoile la plus brillante de la constellation, est aussi l'une des plus brillantes du ciel (magnitude 0,1) et l'une des plus faciles à trouver. Dans la partie de la Voie lactée qui traverse le Cocher, on trouve trois beaux amas ouverts. À peine visibles à l'œil nu, ils apparaissent facilement dans des jumelles, comme des taches de lumière étoilées.

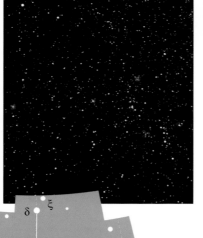

◉ Les amas stellaires M 36, M 37 et M 38
De gauche à droite, M 37, le plus gros amas, est un ensemble serré de quelque 150 étoiles ; M 36 contient environ 60 étoiles, M 38, 100.

Capella est une géante jaune.

M 37 est le plus bel amas du trio.

Cette étoile est à la frontière avec le Taureau (p. 107).

ORION *Orion*

Cette constellation contient beaucoup d'étoiles brillantes et d'objets du ciel profond : sur l'épaule d'Orion, le chasseur, la supergéante rouge Bételgeuse (magnitude 0,5) ; Rigel, sur le pied gauche, est une étoile bleu-blanc (magnitude 0,1) ; le reste de la silhouette est formé de Bellatrix et Saïph, des trois étoiles du baudrier et de la grande nébuleuse, l'épée. À l'œil nu, ce nuage de gaz et de poussières n'est qu'une tache pâle, mais au télescope, on découvre quatre étoiles au cœur de la nébuleuse.

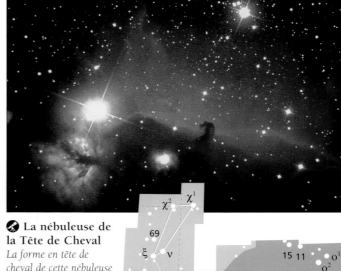

✴ La nébuleuse de la Tête de Cheval
La forme en tête de cheval de cette nébuleuse n'est bien visible que sur les clichés télescopiques à longue pose.

Trois étoiles alignées forment le baudrier d'Orion.

La grande nébuleuse d'Orion forme l'épée du chasseur.

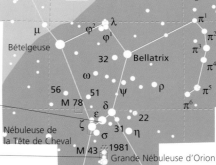

◉ Les étoiles d'Orion
Les étoiles brillantes qui marquent la silhouette d'Orion en font l'une des constellations les plus frappantes.

LES OBJETS DU CIEL PROFOND	☐ Voie lactée	⬭ Galaxie	⊛ Amas globulaire	⁜ Amas ouvert	☐ Nébuleuse diffuse	◯ Nébuleuse planétaire

LE GRAND CHIEN *Canis Major*

Cette constellation, proche de celle d'Orion, représente l'un des chiens du chasseur. L'étoile Sirius (magnitude − 1,46) domine la constellation et le ciel avoisinant. C'est l'étoile la plus brillante du ciel : elle n'est pourtant que 25 fois plus lumineuse que le Soleil ; c'est parce qu'elle est relativement proche de la Terre qu'elle brille autant. Le Grand Chien contient d'autres étoiles brillantes, dont Adhara, une géante bleue de magnitude 1,5, et Wezen, une supergéante jaune de magnitude 1,9. Au-dessous de Sirius, le bel amas ouvert M 41 est tout juste visible à l'œil nu.

Sirius possède un compagnon, appelé le Chiot, visible avec un télescope puissant.

Wezen est une supergéante jaune.

◉ Les étoiles du Grand Chien
La constellation contient plusieurs étoiles brillantes, dont Sirius, qui marque le nez du chien, et Adhara, l'une des pattes de derrière.

LA POUPE *Puppis*

Cette constellation ne possède pas d'étoiles brillantes discernables à l'œil nu mais, étant traversée par la Voie lactée, elle est riche en amas stellaires visibles avec des jumelles. M 47, un amas ouvert clairsemé d'environ 30 étoiles, constitue un bon point de départ. L'amas NGC 2451 est également visible avec des jumelles ; son étoile la plus brillante est une géante orange de magnitude 3,6.

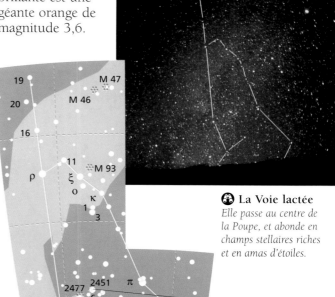

◉ La Voie lactée
Elle passe au centre de la Poupe, et abonde en champs stellaires riches et en amas d'étoiles.

NGC 2451 couvre une surface supérieure à celle de la pleine lune.

L est une paire d'étoiles écartées, toutes deux visibles à l'œil nu.

V est une binaire à éclipses (p. 87).

LA LICORNE *Monoceros*

La Licorne présente peu d'étoiles brillantes, et on la trouve plus facilement en se référant aux étoiles voisines : Procyon du Petit Chien, Bételgeuse d'Orion et Sirius du Grand Chien. La constellation se trouve dans la Voie lactée, et contient donc beaucoup d'objets du ciel profond, dont la nébuleuse de la Rosette, un amas de quelque 30 étoiles, visible avec des jumelles. La nébuleuse qui l'entoure est bien visible dans un grand télescope.

Nébuleuse de la Rosette

NGC 2264 a une forme triangulaire dans un petit télescope.

Cet amas ouvert s'observe bien avec des jumelles.

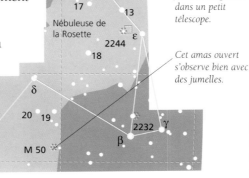

◉ La nébuleuse de la Rosette
Cette nébuleuse, avec son amas stellaire central, NGC 2244, tire son nom de sa forme de fleur.

JANVIER FÉVRIER MARS AVRIL MAI JUIN JUILLET AOÛT SEPTEMBRE OCTOBRE NOVEMBRE DÉCEMBRE

LE CIEL DE MARS ET AVRIL

La constellation du Lion (p. 106) est remarquable à cette période de l'année. Elle annonce l'arrivée du printemps pour les observateurs de l'hémisphère boréal, de l'automne pour ceux de l'hémisphère austral. Son étoile la plus brillante, Régulus, est facile à voir à l'œil nu. Les observateurs des latitudes australes pourront regarder la spectaculaire constellation des Voiles, dans la Voie lactée, et l'Hydre femelle dans son entier. (Les constellations clés sont en pp. 116-117.)

TROUVER LES CONSTELLATIONS

Réglez le planisphère pour savoir quelles constellations sont visibles au lieu et à l'heure qui vous concernent. Les observateurs de l'hémisphère boréal verront le Lion et le Cancer haut dans le ciel. Ceux du Sud verront les Voiles et le cours de la Voie lactée au zénith.

Ces étoiles du Lion dessinent un point d'interrogation à l'envers, ou une faucille.

L'étoile brillante Régulus, du Lion, se trouve presque sur l'écliptique.

Le triangle formé par les galaxies M 95, M 96 et M 105 est visible dans un petit télescope.

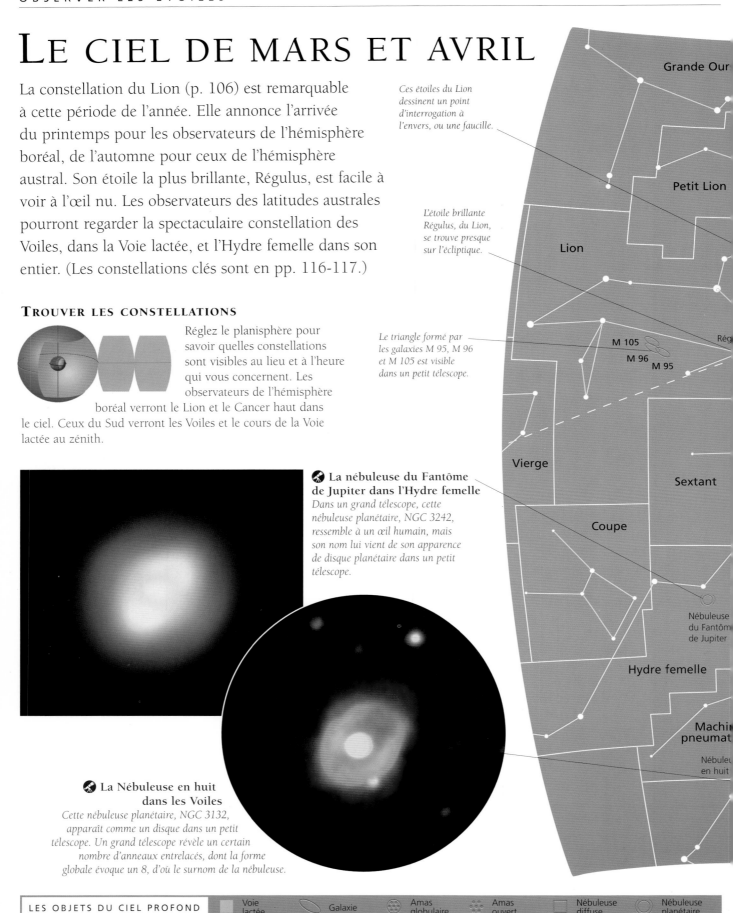

🌀 **La nébuleuse du Fantôme de Jupiter dans l'Hydre femelle**
Dans un grand télescope, cette nébuleuse planétaire, NGC 3242, ressemble à un œil humain, mais son nom lui vient de son apparence de disque planétaire dans un petit télescope.

🌀 **La Nébuleuse en huit dans les Voiles**
Cette nébuleuse planétaire, NGC 3132, apparaît comme un disque dans un petit télescope. Un grand télescope révèle un certain nombre d'anneaux entrelacés, dont la forme globale évoque un 8, d'où le surnom de la nébuleuse.

Labels sur la carte : Grande Our[se], Petit Lion, Lion, Vierge, Coupe, Sextant, Hydre femelle, Machi[ne] pneumat[ique], Nébuleuse du Fantôm[e] de Jupiter, Nébuleu[se] en huit, M 105, M 96, M 95, Rég[ulus]

LES OBJETS DU CIEL PROFOND	Voie lactée	Galaxie	Amas globulaire	Amas ouvert	Nébuleuse diffuse / Nébuleuse planétaire

114

Lynx

2683

Cancer

M 44

M 48

Hydre femelle

Boussole

Poupe

Voiles

⊙ NGC 2683 dans le Lynx
*Cette galaxie spirale barrée offre
un magnifique spectacle dans
un télescope. Elle se présente
à la Terre presque de profil, ce qui
rend sa belle structure spirale difficile
à voir. La partie centrale brillante
constitue le noyau de la galaxie,
regorgeant d'étoiles.*

⊙ Le Lion et le Petit Lion
*Les étoiles brillantes qui forment
le corps du lion rendent la
constellation facile à repérer dans
le ciel. Au centre, en bas, l'étoile
brillante Régulus marque
la poitrine du lion. Au-dessus
du Lion, on voit les étoiles moins
brillantes du Petit Lion.*

*Le trajet du Soleil
coupe la constellation
zodiacale du Cancer.*

TRUCS POUR OBSERVER

Les jumelles offrent un champ
de vision plus grand que les
télescopes, permettant de voir
la totalité d'un amas stellaire
comme M 48, dans l'Hydre
femelle, dont un télescope ne
montre qu'une partie.
Même si une constellation
est au-dessus de l'horizon,
certaines de ses étoiles peuvent
ne pas être visibles d'une
latitude donnée : pour les voir,
il faut qu'elles soient haut dans
le ciel, où le contraste entre la
lumière stellaire et le ciel noir
est maximal.

⊙ M 48 dans l'Hydre femelle
*L'amas stellaire M 48 se trouve dans une région vide
de la constellation, en dehors du corps du serpent.
Il contient environ 80 étoiles, dont les plus brillantes sont
de magnitude 9. Beaucoup d'entre elles sont visibles
individuellement avec des jumelles ou un petit télescope.*

| SYMBOLES DES MAGNITUDES | ⬤ −1 | ⬤ 0 | ⬤ 1 | ⬤ 2 | ⬤ 3 | • 4 | · 5 | · 6 |

MARS ET AVRIL : constellations clés

Les constellations clés du ciel de mars et avril sont extrêmement variées. Les Voiles forment une constellation riche, surtout dans la zone traversée par la Voie lactée. De forme allongée, l'Hydre femelle offre sur toute sa longueur de bons objets aux utilisateurs de jumelles ou de petits télescopes. Le Petit Lion, compagnon de la constellation zodiacale du Lion, est assez insignifiant comparé à cette dernière. Le Sextant et le Lynx, constellations peu lumineuses, requièrent de bonnes conditions pour l'observation à l'œil nu.

LE PETIT LION *Leo Minor*

Cette constellation est beaucoup plus petite et beaucoup moins intéressante que son compagnon, le Lion : elle ne comporte pas d'étoiles brillantes, et les galaxies qu'elle contient ne sont pas accessibles à un équipement classique d'amateur. L'étoile variable R est intéressante à observer avec des jumelles : on peut la suivre sur un cycle de 372 jours, où sa luminosité varie entre les magnitudes 6,3 et 13,2.

Bêta (β) est une étoile double, mais elle paraît simple à l'œil nu.

👁 Les étoiles du Petit Lion
Représentant un lionceau, cette constellation peu lumineuse est difficile à repérer.

LES VOILES *Vela*

Le cours brillant de la Voie lactée traverse la constellation, lui apportant un lot d'amas ouverts, bons sujets d'observation avec des jumelles, ainsi que la Nébuleuse en huit (NGC 3132), une des nébuleuses planétaires les plus brillantes du ciel : repérable à l'œil nu, elle apparaît comme une tache lumineuse arrondie, sa forme de disque n'étant clairement visible qu'au télescope ou en photographie. Les photographies révèlent aussi ses boucles.

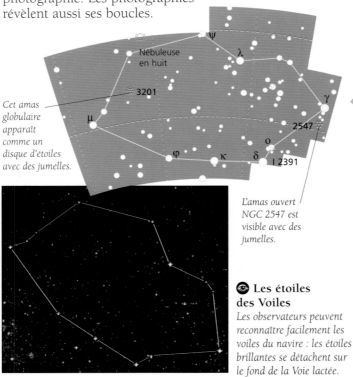

Cet amas globulaire apparaît comme un disque d'étoiles avec des jumelles.

L'amas ouvert NGC 2547 est visible avec des jumelles.

👁 Les étoiles des Voiles
Les observateurs peuvent reconnaître facilement les voiles du navire : les étoiles brillantes se détachent sur le fond de la Voie lactée.

LE SEXTANT *Sextans*

La constellation se trouve sur l'équateur céleste (pp. 16-17), juste au sud du Lion. Elle n'est pas facile à trouver dans le ciel, n'ayant aucune étoile vraiment brillante : cinq seulement sont plus brillantes que la magnitude 5,5, dont la plus brillante, Alpha (α), de magnitude 4,5.

Cette paire d'étoiles écartées est visible avec des jumelles.

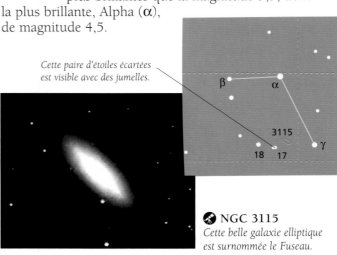

✈ NGC 3115
Cette belle galaxie elliptique est surnommée le Fuseau.

LES OBJETS DU CIEL PROFOND ▪ Voie lactée ⬭ Galaxie ⊛ Amas globulaire ✳ Amas ouvert ▭ Nébuleuse diffuse ⬭ Nébuleuse planétaire

L'HYDRE FEMELLE *Hydra*

Cette constellation, la plus grande du ciel, n'est pas la plus facile à voir dans son ensemble, et il vaut mieux l'observer par morceaux : la tête du serpent est formée d'un groupe de six étoiles de magnitudes 3 et 4 ; la première partie du corps est marquée par l'étoile brillante Alphard (magnitude 2), puis une suite d'étoiles en W représente le corps du serpent, qui sinue sous la constellation du Sextant et se redresse enfin pour former la queue sous la Vierge et la Balance (p. 109). Parmi les objets intéressants, citons l'amas M 48, à l'extrême limite de la constellation.

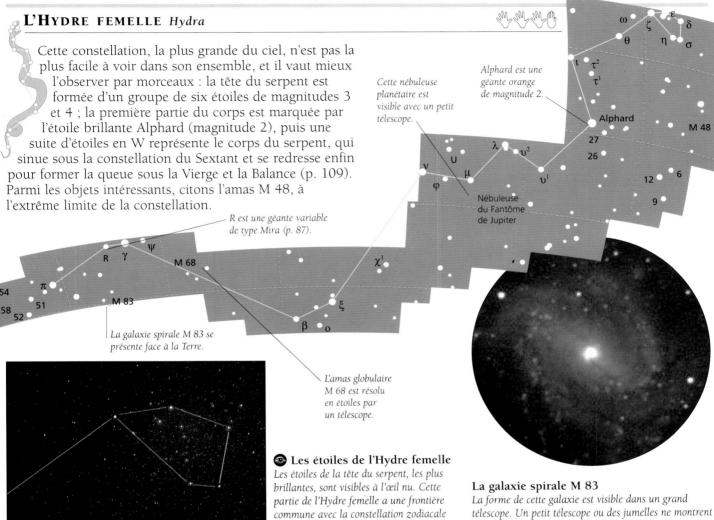

Cette nébuleuse planétaire est visible avec un petit télescope.

Alphard est une géante orange de magnitude 2.

Alphard

Nébuleuse du Fantôme de Jupiter

R est une géante variable de type Mira (p. 87).

La galaxie spirale M 83 se présente face à la Terre.

L'amas globulaire M 68 est résolu en étoiles par un télescope.

👁 Les étoiles de l'Hydre femelle
Les étoiles de la tête du serpent, les plus brillantes, sont visibles à l'œil nu. Cette partie de l'Hydre femelle a une frontière commune avec la constellation zodiacale du Cancer.

La galaxie spirale M 83
La forme de cette galaxie est visible dans un grand télescope. Un petit télescope ou des jumelles ne montrent qu'une tache lumineuse avec un centre brillant.

LE LYNX *Lynx*

De magnitude 4, les étoiles les plus brillantes du Lynx sont peu lumineuses, et la constellation occupe une zone vide du ciel. Elle contient des objets du ciel profond, dont un seul, NGC 2683, est facilement visible avec un équipement d'amateur : c'est une galaxie spirale barrée, qui se présente à la Terre de profil, sa structure spirale est donc très difficile à distinguer, même avec un grand télescope.

Cette galaxie apparaît dans des jumelles comme une tache de lumière allongée.

👁 Les étoiles du Lynx
Les étoiles de cette constellation sont peu distinctes. La plus brillante, Alpha (α), est la plus facile à voir à l'œil nu.

| SYMBOLES DES MAGNITUDES | ● −1 | ● 0 | ● 1 | ● 2 | ● 3 | • 4 | • 5 | · 6 |

LE CIEL DE MAI ET JUIN

Deux constellations zodiacales, la Vierge et la Balance (p. 109), dominent le ciel à cette époque de l'année. La Vierge est une grande constellation située juste au nord de l'écliptique. Surplombant la Vierge, et avoisinant la Chevelure de Bérénice, on trouve l'amas de la Vierge, un immense groupe de galaxies, dont beaucoup sont visibles de la Terre. Les étoiles les plus brillantes à cette époque sont Arcturus, dans le Bouvier, et Spica (l'Épi), dans la Vierge. (Les constellations clés sont en pp. 120-121.)

TROUVER LES CONSTELLATIONS

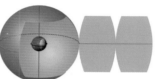

Réglez le planisphère pour savoir quelles constellations sont visibles au lieu et à l'heure qui vous concernent. Les observateurs de l'hémisphère boréal verront le Bouvier et la Couronne boréale au zénith, tandis que ceux du Sud seront bien placés pour observer le Corbeau et le Loup.

Malgré son nom, la Couronne boréale est visible de toutes les latitudes au nord de 50° S.

Voici la moitié nord du Serpent. C'est la seule constellation séparée en deux par une autre constellation, Ophiucus.

La Vierge est entièrement visible des latitudes comprises entre 68° N. et 76° S.

Bouvier

Couronne boréale

Tête du Serpent

Balance

Loup

⊙ Aurore boréale à 2 h 50 le 1ᵉʳ mai 1990, en Écosse
Les observateurs des latitudes supérieures à 50° N. environ peuvent voir des aurores boréales (pp. 72-73) plusieurs fois par an. Le spectacle est difficile à prédire mais, comme il se répète parfois sur deux ou trois nuits, vous avez des chances d'en voir un. Particulièrement belle, cette aurore a duré plusieurs heures.

LES OBJETS DU CIEL PROFOND	Voie lactée	Galaxie	Amas globulaire	Amas ouvert	Nébuleuse diffuse	Nébuleuse planétaire

JANVIER FÉVRIER MARS AVRIL MAI JUIN JUILLET AOÛT SEPTEMBRE OCTOBRE NOVEMBRE DÉCEMBRE

Galaxie des
Chiens de Chasse

hiens de Chasse

M 3

Chevelure
de Bérénice

M 100

Vierge

Corbeau

Hydre femelle

Centaure

5139

⚙ La galaxie des Chiens de Chasse

Cette galaxie (M 51) se présente à la Terre de face. Avec des jumelles, on ne voit en général qu'une faible tache lumineuse circulaire, mais un grand télescope met en évidence sa forme de « soleil ». Un compagnon irrégulier, NGC 5195, est relié à la galaxie principale par un bras spiral étendu.

⚙ M 100 dans la Chevelure de Bérénice

Il faut un grand télescope pour voir les bras spiraux de cette galaxie. Un petit télescope montre ce membre de l'amas de la Vierge comme une tache de lumière, avec un centre plus brillant, qu'on pourrait prendre pour un amas globulaire.

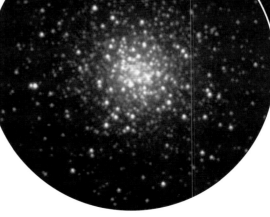

⚙ M 3 dans les Chiens de Chasse

Cet amas globulaire, l'un des plus brillants, contient environ un demi-million d'étoiles. Il apparaît comme un nuage globulaire brillant dans des jumelles ; un télescope de 100 mm d'ouverture au moins résout certaines de ses étoiles.

TRUCS POUR OBSERVER

Quand vous observez
l'amas de la Vierge, vérifiez bien quelle galaxie vous regardez avant de passer à la suivante : il est facile de se tromper.

L'amas stellaire clairsemé qui figure la Chevelure de Bérénice couvre environ 5° de ciel. Il faut observer le groupe avec un instrument à faible grossissement et grand champ pour ne pas perdre l'effet d'amas.

SYMBOLES DES MAGNITUDES ● −1 ● 0 ● 1 ● 2 ● 3 · 4 · 5

MAI ET JUIN : constellations clés

Deux de ces constellations, les Chiens de Chasse et la Chevelure de Bérénice, sont remplies de galaxies. Les Chiens de Chasse abritent la splendide galaxie du même nom, l'une des plus belles du ciel ; elle se présente à la Terre de face, sa structure spirale est donc bien visible. La galaxie spirale de l'Œil noir, dans la Chevelure de Bérénice, doit son nom à son nuage sombre de poussières.

LE LOUP *Lupus*

Le Loup se trouve entre les constellations du Scorpion (p. 109) et du Centaure (p. 102). Après avoir trouvé ces constellations, il est facile de repérer les étoiles marquant la silhouette du loup. Là où la Voie lactée traverse la constellation, on trouve plusieurs amas stellaires, dont l'amas ouvert NGC 5822, probablement le plus intéressant.

Kappa (κ) est une étoile double, facilement séparable avec un petit télescope.

⊛ L'amas stellaire NGC 5822

Cet amas ouvert est visible à l'œil nu, mais c'est surtout une cible idéale pour des jumelles ou un petit télescope.

LA COURONNE BORÉALE *Corona Borealis*

Bien que petite, la Couronne boréale est facile à voir grâce à sa forme caractéristique : l'étoile brillante Gemma, « la Perle » (magnitude 2,2), forme le joyau central de la couronne ; dans le croissant, l'étoile variable R fluctue entre les magnitudes 6 et 14.

LE BOUVIER *Bootes*

L'étoile brillante Arcturus (magnitude 0) attire l'œil sur cette constellation : cette étoile orange-rouge est la quatrième plus brillante du ciel. Le nom grec Arcturus signifie « gardien d'ours », et le Bouvier conduit la constellation Ursa Major (la Grande Ourse) à travers le ciel. La pluie de météores des Quadrantides rayonne du Bouvier, chaque année en janvier.

La pluie de météores des Quadrantides, du nom d'une constellation aujourd'hui abandonnée, rayonne de cette région du ciel.

Un télescope montre qu'Izar est une paire serrée d'étoiles de magnitudes 3 et 5.

Arcturus est l'étoile la plus brillante au nord de l'équateur céleste. Sa teinte chaude est visible à l'œil nu.

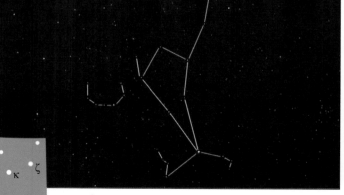

👁 La Couronne boréale et le Bouvier

La forme en cerf-volant du Bouvier est visible au centre du cliché ; la Couronne boréale est formée du groupe d'étoiles en demi-cercle à sa gauche.

| LES OBJETS DU CIEL PROFOND | Voie lactée | Galaxie | Amas globulaire | Amas ouvert | Nébuleuse diffuse | Nébuleuse planétaire |

LE CORBEAU *Corvus* ✋

Cette petite constellation se trouve dans une région vide du ciel, juste au-dessous de la Vierge (p. 109). Elle représente un corbeau perché sur l'Hydre femelle (p. 117). Au bord de la constellation, une paire de galaxies en collision est appelée les Antennes. Dans un petit télescope, elles ressemblent à un beignet entamé.

👁 **Les étoiles du Corbeau**
Visibles à l'œil nu, les étoiles brillantes du Corbeau forment un trapèze.

LES CHIENS DE CHASSE *Canes Venatici* 🤚✋

Il faut beaucoup d'imagination pour voir les deux chiens de chasse du Bouvier : seules deux étoiles, Cor Caroli et Bêta (β), sont visibles à l'œil nu, et faciles à localiser en regardant sous la queue de la Grande Ourse (p. 98). Cor Caroli, la plus brillante des deux, est de magnitude 2,9 et a un compagnon de magnitude 5. Deux galaxies spirales, les Chiens de Chasse et M 94, apparaissent comme des taches lumineuses arrondies dans un petit télescope. L'amas globulaire M 3 est tout juste visible à l'œil nu.

Cor Caroli est une étoile double, facilement séparable avec un petit télescope.

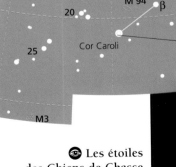

👁 **Les étoiles des Chiens de Chasse**
Les étoiles Alpha (α) et Bêta (β) sont visibles à l'œil nu. Alpha est appelée Cor Caroli, « le cœur de Charles », en hommage au roi d'Angleterre Charles II.

LA TÊTE DU SERPENT *Serpens Caput* ✋

Il ne s'agit pas d'une véritable constellation, mais d'une moitié de Serpens, le Serpent, constellation coupée en deux par Ophiucus (p. 105). Serpens Cauda, la Queue du Serpent, est visible plus tard dans l'année (p. 125). Un triangle d'étoiles marque la tête et une ligne sinueuse, la partie supérieure du corps. Spectaculaire, l'amas globulaire M 5 occupe une région vide du ciel.

Delta (δ) est une binaire (p. 86), résolue avec un petit télescope.

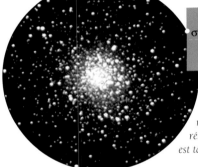

🔭 **L'amas globulaire M 5**
Seules quelques étoiles du demi-million que contient cet amas sont résolues par un télescope. Le reste est tassé au centre de l'amas globulaire.

LA CHEVELURE DE BÉRÉNICE ✋

Coma Berenices est une constellation de faible éclat qui contient peu d'étoiles remarquables, et a une frontière commune avec la Vierge (p. 109). Beaucoup de galaxies appartenant à l'amas de la Vierge chevauchent les deux constellations ; la plus impressionnante est NGC 4565.

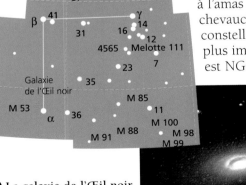

🔭 **La galaxie de l'Œil noir**
Le nuage sombre de poussières qui traverse le centre brillant de cette galaxie spirale (M 64) est visible au télescope.

SYMBOLES DES MAGNITUDES ● −1 ● 0 ● 1 ● 2 ● 3 ● 4 • 5 • 6

JANVIER FÉVRIER MARS AVRIL **MAI JUIN** JUILLET AOÛT SEPTEMBRE OCTOBRE NOVEMBRE DÉCEMBRE

LE CIEL DE JUILLET ET AOÛT

Deux magnifiques constellations zodiacales,
le Sagittaire et le Scorpion (pp. 108-109), dominent
le ciel en juillet et en août. Situées dans une région
riche de la Voie lactée, elles offrent de nombreux
objets stellaires aux observateurs, surtout à ceux
de l'hémisphère Sud. Certains observateurs
de l'hémisphère boréal ne verront pas le Sagittaire
et le Scorpion, mais seront en bonne position pour
voir Hercule, l'Aigle et la Lyre. (Les constellations
clés sont en pp. 124-125.)

TROUVER LES CONSTELLATIONS

Réglez le planisphère pour savoir
quelles constellations sont visibles
au lieu et à l'heure qui vous
concernent. Pour les observateurs
de l'hémisphère boréal, Hercule
et l'Hydre femelle seront au zénith. Les observateurs
de l'hémisphère austral verront le Scorpion et le Sagittaire,
ainsi que le cours de la Voie lactée.

*Cette nébuleuse
planétaire de la
Lyre, l'Anneau
de fumée, offre
un beau spectacle
dans des jumelles.*

*La Lyre, l'une des
constellations les plus
remarquables du ciel
boréal, est entièrement
visible pour les
observateurs situés au
nord de la latitude 42° S.*

⊕ M 56 dans la Lyre
*Au bord de la constellation, cet amas
globulaire ressemble à une étoile floue,
avec un centre brillant. Les étoiles
externes de l'amas sont résolues
par un télescope de 150 mm.*

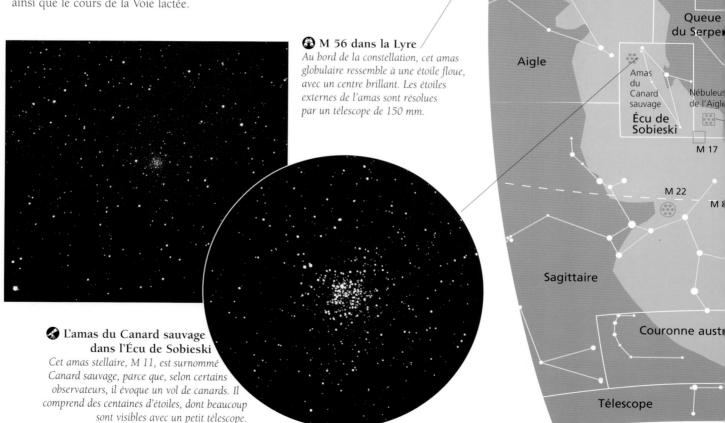

**◉ L'amas du Canard sauvage
dans l'Écu de Sobieski**
*Cet amas stellaire, M 11, est surnommé
Canard sauvage, parce que, selon certains
observateurs, il évoque un vol de canards. Il
comprend des centaines d'étoiles, dont beaucoup
sont visibles avec un petit télescope.*

Carte : Cygne, Lyre, M 56, L'Anneau de fumée, M 27, Petit Renard, Flèche, Queue du Serpent, Aigle, Amas du Canard sauvage, Nébuleuse de l'Aigle, Écu de Sobieski, M 17, M 22, M 8, Sagittaire, Couronne australe, Télescope

LES OBJETS DU CIEL PROFOND	Voie lactée	Galaxie	Amas globulaire	Amas ouvert	Nébuleuse diffuse	Nébuleuse planétaire

Marge gauche : JANVIER FÉVRIER MARS AVRIL MAI JUIN JUILLET AOÛT SEPTEMBRE OCTOBRE NOVEMBRE DÉCEMBRE

Hercule

Couronne
boréale

Ophiucus

Tête du
Serpent

M 13

M 12

M 10

M 6

M 7

Scorpion

Règle

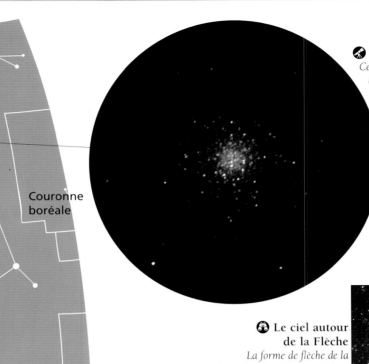

⚓ M 13 dans Hercule

Cet amas globulaire est l'un des plus beaux du ciel, après Oméga Centauri (p. 101) et 47 Tucanae (p. 100). Dans des jumelles, il apparaît comme un nuage flou, d'environ la moitié de la taille apparente de la pleine lune, mais un télescope d'au moins 100 mm montre clairement la majorité des centaines de milliers d'étoiles que contient l'amas.

⚓ Le ciel autour de la Flèche

La forme de flèche de la constellation est généralement bien visible dans des jumelles, mais parfois, comme dans ce cliché, elle est difficile à discerner sur le fond densément étoilé de la Voie lactée.

Deux amas globulaires, M 10 et M 12, sont visibles côte à côte dans Ophiucus. M 12 est le plus ouvert des deux.

⚓ M 16 dans le Serpent et M 17 dans le Sagittaire

Les deux taches brillantes sur cette photographie appartiennent à deux constellations. Au sommet, on voit l'amas stellaire M 16, entouré par la nébuleuse de l'Aigle, dans la Queue du Serpent, et, au-dessous, M 17, la nébuleuse Oméga, dans le Sagittaire.

TRUCS POUR OBSERVER

Ne prenez pas l'amas du Canard sauvage (M 11) pour un amas globulaire : ses étoiles très serrées apparaissent dans des jumelles comme un amas globulaire non résolu.

Une barre nuageuse brillante constitue la première vision de la nébuleuse Oméga, M 17. Pour discerner la partie moins lumineuse, qui s'écarte de la barre en se courbant, ayez recours à la vision périphérique (p. 15).

SYMBOLES DES MAGNITUDES   ● −1   ● 0   ● 1   ● 2   ● 3   • 4   • 5

DÉCEMBRE NOVEMBRE OCTOBRE SEPTEMBRE AOÛT JUILLET JUIN MAI AVRIL MARS FÉVRIER JANVIER

JUILLET ET AOÛT : constellations clés

Les constellations clés de juillet et d'août varient en taille, des très grandes, comme Hercule, qui représente le héros du mythe grec, aux très petites, comme la Flèche ; toutes contiennent des objets intéressants pour les observateurs, quel que soit l'instrument utilisé. Hercule contient M 13, l'amas globulaire le plus brillant de l'hémisphère Nord ; la minuscule Flèche offre une intéressante binaire à éclipses rapides (p. 87). Deux étoiles brillantes, Véga dans la Lyre et Altaïr dans l'Aigle, éclipsent toutes les autres à cette époque de l'année. Elles forment avec Deneb, dans le Cygne (p. 129), un triangle remarquable d'étoiles brillantes, le Triangle d'été.

LA FLÈCHE *Sagitta*

La Flèche est l'une des plus petites constellations. Elle est située dans la Voie lactée, avec le Petit Renard et le Cygne au nord, et l'Aigle au sud. Elle ne contient pas d'étoiles brillantes, mais, à mi-chemin entre Gamma (γ) et Delta (δ), on trouve M 71, un amas globulaire clairsemé, intéressant à observer au télescope.

Binaire à éclipses.

⭐ **L'amas stellaire M 71**
Bien qu'il ressemble à un amas ouvert, M 71 est un amas globulaire, dont les étoiles sont résolues par un télescope.

HERCULE *Hercules*

Cette constellation est la cinquième du ciel en taille. La tête du géant pointe vers le pôle céleste Sud, ses pieds vers le pôle céleste Nord. La boîte qui forme le corps d'Hercule, parfois appelée la Clé de voûte, est formée de quatre étoiles brillantes. Bêta (β), géante jaune de magnitude 2,8, l'étoile la plus brillante de la constellation, marque le genou du géant ; Rasalgethi, dans la tête, est une étoile variable (p. 87) qui fluctue entre les magnitudes 3 et 4 en 90 jours.

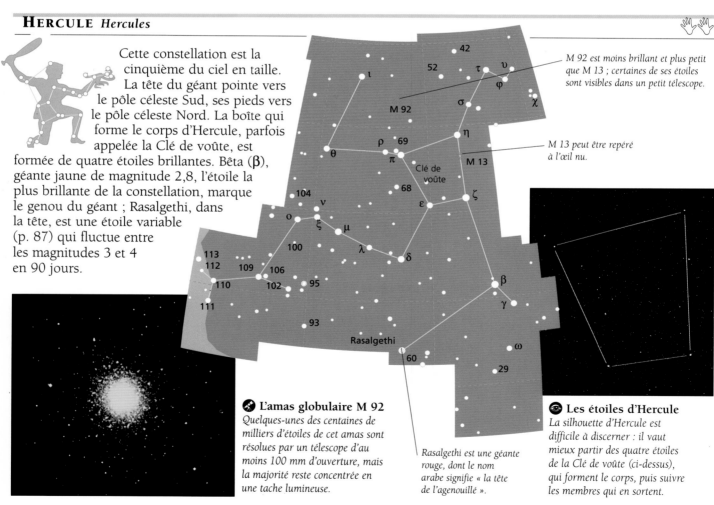

M 92 est moins brillant et plus petit que M 13 ; certaines de ses étoiles sont visibles dans un petit télescope.

M 13 peut être repéré à l'œil nu.

⭐ **L'amas globulaire M 92**
Quelques-unes des centaines de milliers d'étoiles de cet amas sont résolues par un télescope d'au moins 100 mm d'ouverture, mais la majorité reste concentrée en une tache lumineuse.

Rasalgethi est une géante rouge, dont le nom arabe signifie « la tête de l'agenouillé ».

👁 **Les étoiles d'Hercule**
La silhouette d'Hercule est difficile à discerner : il vaut mieux partir des quatre étoiles de la Clé de voûte (ci-dessus), qui forment le corps, puis suivre les membres qui en sortent.

LES OBJETS DU CIEL PROFOND | Voie lactée | Galaxie | Amas globulaire | Amas ouvert | Nébuleuse diffuse | Nébuleuse planétaire

LA LYRE *Lyra*

La constellation est facile à trouver grâce à l'étoile Véga, géante bleu-blanc de magnitude 0, la cinquième plus brillante du ciel. Les autres étoiles sont moins lumineuses, mais intéressantes : Sheliak, binaire à éclipses (p. 87), varie entre les magnitudes 3,4 et 4,3 ; Epsilon (ε) est une étoile quadruple ; et la nébuleuse Anneau de fumée (M 57) mérite bien son nom.

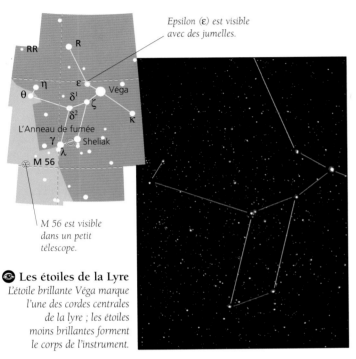

Epsilon (ε) est visible avec des jumelles.

M 56 est visible dans un petit télescope.

👁 Les étoiles de la Lyre
L'étoile brillante Véga marque l'une des cordes centrales de la lyre ; les étoiles moins brillantes forment le corps de l'instrument.

LA QUEUE DU SERPENT *Serpens Cauda*

La constellation du Serpent est partagée en deux par Ophiucus (p. 105). La tête est traitée p. 121. Serpens Cauda, la queue, est moins évidente, mais elle est traversée par la Voie lactée et abrite l'amas stellaire M 16 ainsi que la nébuleuse qui l'entoure (pp. 88-89), appelée l'Aigle à cause de la forme caractéristique de sa bande centrale de poussières. Des jumelles équipées de filtres montreront les nuages de gaz.

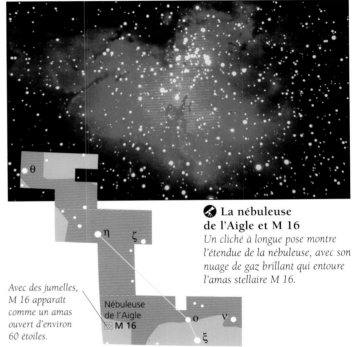

✦ La nébuleuse de l'Aigle et M 16
Un cliché à longue pose montre l'étendue de la nébuleuse, avec son nuage de gaz brillant qui entoure l'amas stellaire M 16.

Avec des jumelles, M 16 apparaît comme un amas ouvert d'environ 60 étoiles.

Nébuleuse de l'Aigle M 16

L'AIGLE *Aquila*

Dans la mythologie grecque, l'Aigle transportait la foudre du dieu Zeus. Le nom arabe d'Altaïr, l'étoile la plus lumineuse de la constellation, signifie « aigle volant ». Cette étoile complète le triangle d'étoiles brillantes formé avec Deneb, du Cygne, et Véga, de la Lyre. Une partie de l'Aigle longe la Voie lactée et ses champs stellaires denses, notamment près de la frontière avec l'Écu de Sobieski.

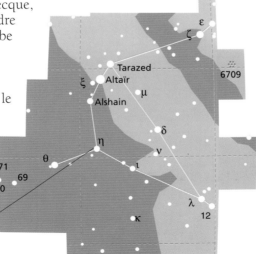

Êta (η) est une céphéide (p. 87), visible avec des jumelles.

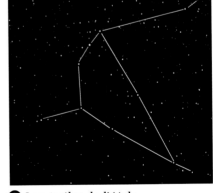

👁 Les étoiles de l'Aigle
L'étoile brillante Altaïr est facile à trouver, au milieu et en haut du cliché. De chaque côté d'Altaïr, on trouve les deux étoiles brillantes Alshain et Tarazed.

SYMBOLES DES MAGNITUDES   ● −1   ● 0   ● 1   ● 2   • 3   • 4   • 5   • 6

LE CIEL DE SEPTEMBRE ET OCTOBRE

Le Capricorne et le Verseau (p. 108) dominent le ciel nocturne à cette époque de l'année. Le Verseau est le plus au nord, mais reste visible, en partie ou en totalité, de tout le globe. Le Capricorne n'est visible qu'au sud de la latitude 62° N. Pégase annonce l'automne aux observateurs de l'hémisphère Nord, et le printemps à ceux du Sud.

TROUVER LES CONSTELLATIONS

Réglez le planisphère pour savoir quelles constellations sont visibles au lieu et à l'heure qui vous concernent. Les observateurs de l'hémisphère boréal verront le Cygne et la Voie lactée au zénith, tandis que ceux du Sud verront Pégase au-dessus de leur horizon nord.

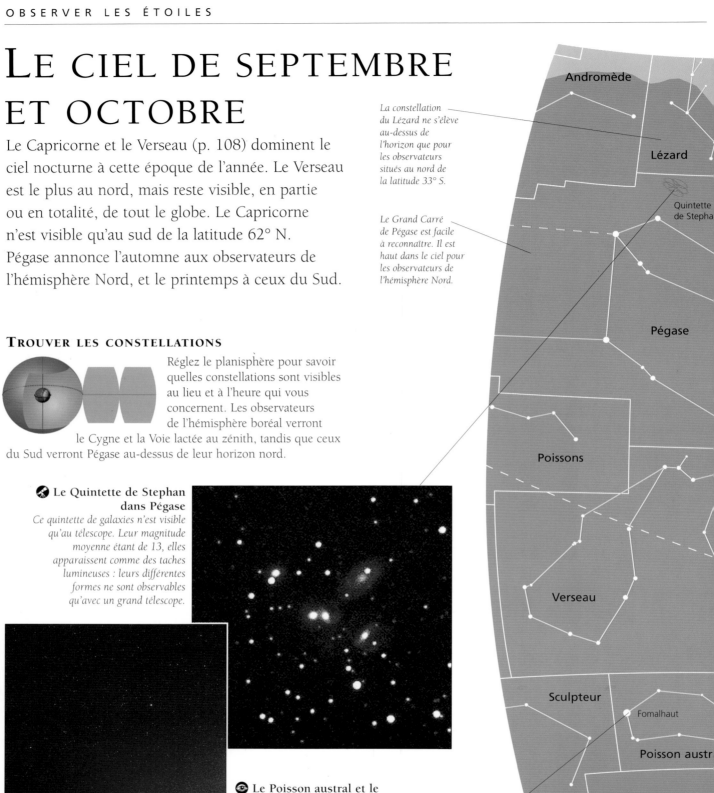

La constellation du Lézard ne s'élève au-dessus de l'horizon que pour les observateurs situés au nord de la latitude 33° S.

Le Grand Carré de Pégase est facile à reconnaître. Il est haut dans le ciel pour les observateurs de l'hémisphère Nord.

Andromède

Lézard

Quintette de Stepha

Pégase

Poissons

Verseau

Sculpteur

Fomalhaut

Poisson austr

Grue

Fomalhaut, dans le Poisson austral, est la dix-huitième étoile la plus brillante du ciel.

Phénix

Le Quintette de Stephan dans Pégase
Ce quintette de galaxies n'est visible qu'au télescope. Leur magnitude moyenne étant de 13, elles apparaissent comme des taches lumineuses : leurs différentes formes ne sont observables qu'avec un grand télescope.

Le Poisson austral et le Verseau dans le ciel nocturne
Ce cliché montre le Poisson austral (en bas à droite), avec son étoile brillante Fomalhaut. Le Verseau se trouve au-dessus, avec à sa gauche les Poissons, et une partie de la Baleine au-dessous.

| LES OBJETS DU CIEL PROFOND | Voie lactée | Galaxie | Amas globulaire | Amas ouvert | Nébuleuse diffuse | Nébuleuse planétaire |

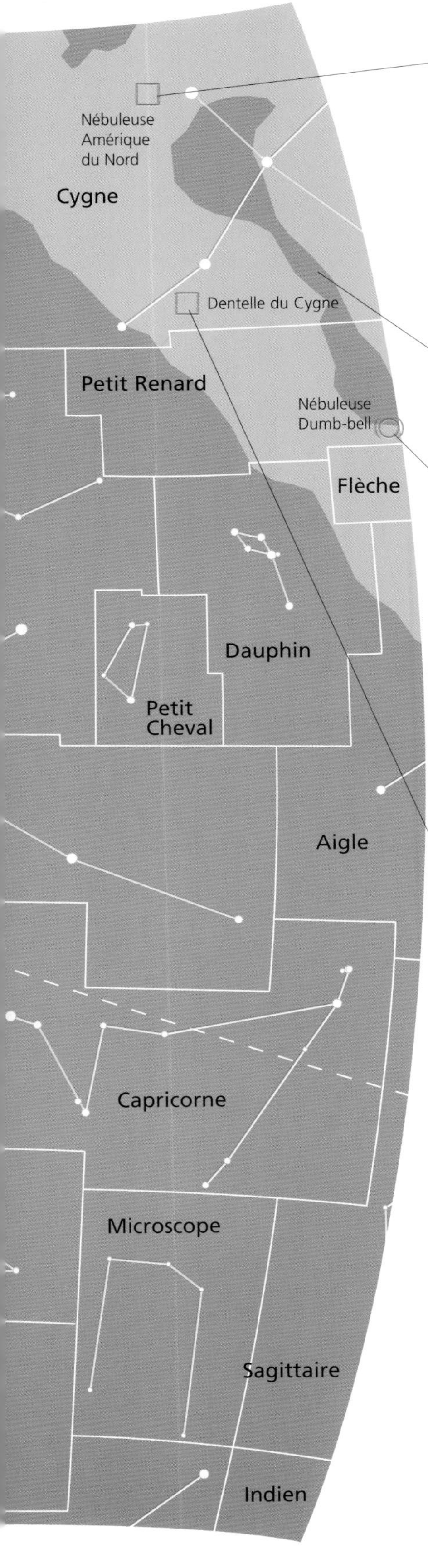

Nébuleuse
Amérique
du Nord

Cygne

Dentelle du Cygne

Petit Renard

Nébuleuse
Dumb-bell

Flèche

Dauphin

Petit
Cheval

Aigle

Capricorne

Microscope

Sagittaire

Indien

La nébuleuse Amérique du Nord dans le Cygne

Cette remarquable nébuleuse (NGC 7000), dont la forme rappelle celle du continent nord-américain, se voit le mieux sur une photographie télescopique à longue pose. Elle n'est pas facile à voir à l'œil nu sur le fond brillant de la Voie lactée.

Une bande de poussières sombres, la Fente du Cygne, divise le cours lumineux de la Voie lactée.

La nébuleuse Dumb-bell (l'Haltère) dans le Petit Renard

La vision de cette magnifique nébuleuse M 27 est difficile à oublier : c'est l'une des plus belles nébuleuses planétaires de tout le ciel ; elle est visible avec des jumelles, mais il faut un télescope pour discerner sa forme d'haltère et sa couleur.

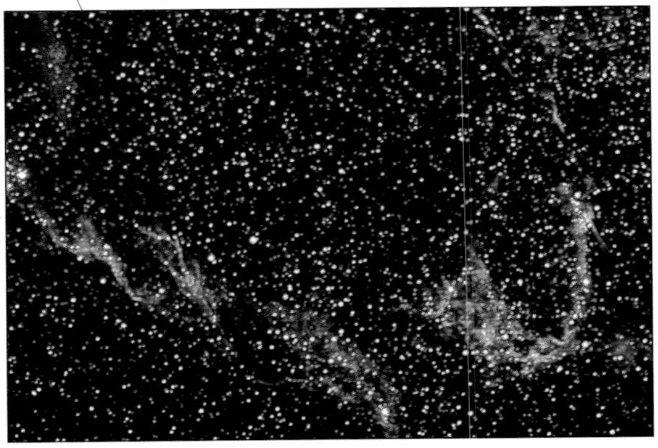

La Dentelle du Cygne

Les traits lumineux de gaz et de poussières qui parsèment ce champ stellaire sont les restes d'une étoile qui a explosé en supernova (p. 89) à la fin de sa vie. Les jets les plus brillants sont visibles avec des jumelles.

TRUCS POUR OBSERVER

Il faut un télescope de 150 mm pour voir la forme de sablier de la nébuleuse Dumb-bell, dans le Petit Renard, et sa belle couleur bleu-vert.
La nébuleuse Hélix, NGC 7293, dans le Verseau, apparaît grande dans le ciel, car c'est la nébuleuse planétaire la plus proche de la Terre. À cause de cette étendue, on la voit mieux avec des jumelles qu'avec un télescope, dont le champ de vision est plus étroit.

SYMBOLES DES MAGNITUDES　　−1　　0　　1　　2　　3　　4　　5

SEPTEMBRE ET OCTOBRE : constellations clés

Durant le dernier trimestre de l'année, le Grand Carré de Pégase domine le ciel. Près de son étoile brillante Enif, qui marque le nez du cheval, on trouve le magnifique amas globulaire M 15. La constellation du Cygne, dans la Voie lactée, devient vite familière aux observateurs du Nord, car sa forme évoque vraiment celle de l'oiseau dont elle porte le nom. Le Dauphin est également facile à reconnaître grâce à sa forme. Fomalhaut, dans le Poisson austral, est l'une des étoiles les plus brillantes du ciel, et le Petit Renard, constellation peu remarquable en elle-même, offre la belle nébuleuse Dumb-bell.

LE DAUPHIN *Delphinus*

Bien que ses étoiles principales ne soient pas brillantes, le Dauphin, entre l'Aigle et Pégase, est bien reconnaissable par sa forme. Ses deux étoiles les plus lumineuses, Sualocin et Rotanev, ne sont, respectivement, que de magnitudes 3,8 et 3,6.

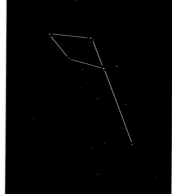

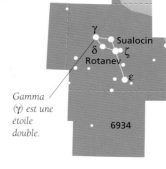

Gamma (γ) est une étoile double.

Sualocin
Rotanev
6934

⊙ Les étoiles du Dauphin
La forme bien marquée du Dauphin est plaisante à l'œil nu. Les quatre étoiles qui forment la tête sont aussi appelées le Cercueil de Job.

PÉGASE *Pegasus*

Cette grande constellation représente la tête et la partie antérieure de Pégase, le cheval ailé de la mythologie grecque. La constellation est facile à trouver en cherchant le Grand Carré, formé de quatre étoiles, dont Alpheratz, autrefois disputée entre Pégase et Andromède, mais aujourd'hui rattachée à Andromède (p. 132). La grande galaxie spirale NGC 7331, dans Pégase, est visible avec des jumelles, tandis que les autres galaxies de la région, dont celles du Quintette de Stephan, requièrent un télescope.

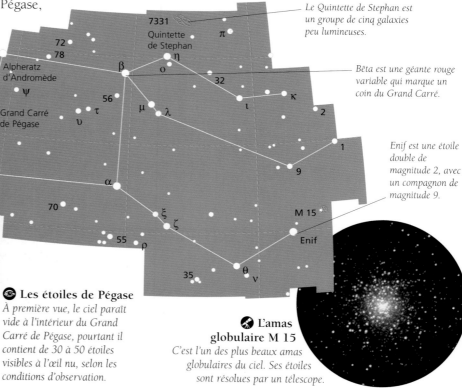

Le Quintette de Stephan est un groupe de cinq galaxies peu lumineuses.

7331
Quintette de Stephan

Alpheratz d'Andromède
Grand Carré de Pégase

Bêta est une géante rouge variable qui marque un coin du Grand Carré.

Enif est une étoile double de magnitude 2, avec un compagnon de magnitude 9.

M 15
Enif

⊙ Les étoiles de Pégase
À première vue, le ciel paraît vide à l'intérieur du Grand Carré de Pégase, pourtant il contient de 30 à 50 étoiles visibles à l'œil nu, selon les conditions d'observation.

✷ L'amas globulaire M 15
C'est l'un des plus beaux amas globulaires du ciel. Ses étoiles sont résolues par un télescope.

LE CYGNE *Cygnus*

Cinq étoiles brillantes, en forme de croix, font du Cygne une constellation facile à reconnaître. La Voie lactée la traverse, offrant beaucoup d'objets à l'observateur équipé de jumelles. La nébuleuse planétaire NGC 6826 est souvent appelée la Planétaire clignotante. NGC 6992, la nébuleuse du Voile (p. 88), appartient à la Dentelle du Cygne, un reste de supernova.

Deneb fait partie d'un triangle d'étoiles brillantes.

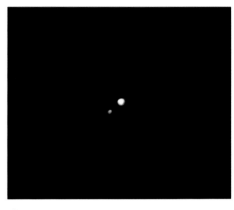

🌀 **Albireo**
Cette étoile double est facilement résolue par un télescope, et les couleurs différentes des étoiles, jaune et bleu-vert, sont bien visibles.

LE POISSON AUSTRAL *Piscis Austrinus*

L'éclat de l'étoile Fomalhaut (« la bouche du poisson » en arabe) rend le Poisson austral facile à repérer dans le ciel. Fomalhaut est l'une des 20 étoiles les plus brillantes du ciel. Beaucoup moins lumineuses, les autres étoiles de la constellation sont peu remarquables.

Bêta (β) est une étoile double écartée.

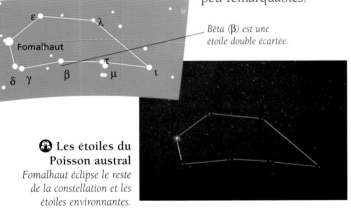

🌀 **Les étoiles du Poisson austral**
Fomalhaut éclipse le reste de la constellation et les étoiles environnantes.

LE LÉZARD *Lacerta*

Cette constellation est petite et assez peu remarquable, à l'exception de deux amas ouverts, NGC 7243 et NGC 7209, tous deux visibles avec des jumelles. Trois novae brillantes (p. 85) et visibles à l'œil nu, apparues dans le Lézard au siècle dernier, ont rendu la constellation plus intéressante.

👁 **Les étoiles du Lézard**
Les étoiles les plus brillantes du Lézard, qui ne dépassent pas la magnitude 4, rendent son repérage difficile.

Un télescope montre les étoiles de cet amas.

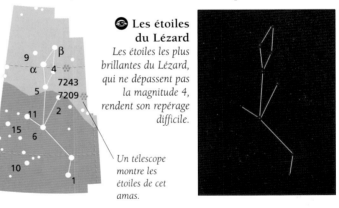

LE PETIT RENARD *Vulpecula*

Ce n'est pas une constellation facile à trouver, mais elle contient un remarquable objet du ciel profond, la nébuleuse planétaire Dumb-bell (M 27). Son nom (l'Haltère) vient des deux lobes que forme le gaz éjecté d'une étoile mourante. Ces lobes ne sont visibles qu'avec un grand télescope.

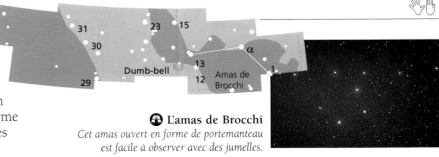

🌀 **L'amas de Brocchi**
Cet amas ouvert en forme de portemanteau est facile à observer avec des jumelles.

SYMBOLES DES MAGNITUDES   ● −1   ● 0   ● 1   ● 2   ● 3   • 4   • 5   • 6

JANVIER   FÉVRIER   MARS   AVRIL   MAI   JUIN   JUILLET   AOÛT   **SEPTEMBRE   OCTOBRE**   NOVEMBRE   DÉCEMBRE

NOVEMBRE DÉCEMBRE

OCTOBRE

SEPTEMBRE

AOÛT

JUILLET

JUIN

MAI

AVRIL

MARS

FÉVRIER

JANVIER

LE CIEL DE NOVEMBRE ET DÉCEMBRE

Les constellations zodiacales, le Bélier et les Poissons (p. 107), sont peu lumineuses, mais Persée, Andromède et le Triangle contiennent beaucoup d'étoiles brillantes et d'objets du ciel profond. La Baleine et l'Éridan sont des constellations étendues, qu'on ne peut voir entièrement que de l'hémisphère austral. (Les constellations clés sont en pp. 132-133.)

TROUVER LES CONSTELLATIONS

Réglez le planisphère pour savoir quelles constellations sont visibles au lieu et à l'heure qui vous concernent. Pour les observateurs de l'hémisphère boréal, Andromède et Persée sont haut dans le ciel ; dans l'hémisphère austral, la Baleine, puis l'Éridan passent presque au zénith.

Algol, dans Persée, fut la première binaire à éclipses (p. 87) découverte.

Au nord de la latitude 31° S., l'ensemble de la constellation de Persée se trouve au-dessus de l'horizon.

Persée

Algol

Nébuleuse Californie

Triangle

Bélier

Taureau

Baleine

M 77

Éridan

Fourneau

Horloge

🔭 La nébuleuse Californie dans Persée
Avec des jumelles et de la patience, on peut voir cette nébuleuse (NGC 1499), dont la forme évoque celle de l'État de Californie. Le nuage de gaz et de poussières de la nébuleuse est de magnitude 6, mais la lumière est étalée, si bien que la brillance de surface correspond à la magnitude 14.

🔭 M 77 dans la Baleine
Le centre brillant et les bras spiraux de cette galaxie sont visibles au télescope. La galaxie est de magnitude 9, et apparaît dans des jumelles comme une tache circulaire, floue et peu lumineuse.

| LES OBJETS DU CIEL PROFOND | Voie lactée | Galaxie | Amas globulaire | Amas ouvert | Nébuleuse diffuse | Nébuleuse planétaire |

🔭 La galaxie d'Andromède

La belle galaxie d'Andromède, M 31, est une galaxie spirale géante. Elle est visible à l'œil nu, bien que ses étoiles ne soient pas brillantes ; au télescope, ou sur une photographie à longue pose, sa structure spirale apparaît nettement. Elle a deux petits compagnons, les galaxies elliptiques M 110, à droite du cliché, et M 32, au-dessous à gauche.

🔭 La galaxie M 33 dans le Triangle

Ce cliché à longue pose montre le détail et l'étendue de la galaxie M 33. Le centre brillant est formé d'un noyau dense d'étoiles, d'où s'échappent les bras spiraux, faits d'étoiles et de gaz. Les points lumineux sont des concentrations d'étoiles et de gaz dans les bras.

👁 NGC 253 et NGC 288 dans le Sculpteur

Les observateurs situés au sud de la latitude 50° N. peuvent voir la constellation du Sculpteur, mais ses plus beaux objets, la galaxie spirale NGC 253 (à droite) et l'amas globulaire NGC 288 (à gauche) sont visibles dans de meilleures conditions depuis l'hémisphère Sud.

TRUCS POUR OBSERVER

La galaxie M 33, dans le Triangle, est de magnitude 6,5, mais ce chiffre représente la luminosité globale de la galaxie, étalée sur un degré de ciel ; il est donc préférable de l'observer avec des jumelles à grand champ, ou avec un oculaire de faible grossissement au télescope.
Pour certains observateurs, la forme de la Baleine évoquerait plutôt une chaise longue !

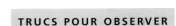

ndromède
Galaxie d'Andromède
Poissons
Baleine
253
288
Sculpteur
Phénix

NOVEMBRE DÉCEMBRE

NOVEMBRE

OCTOBRE

SEPTEMBRE

AOÛT

JUILLET

JUIN

MAI

AVRIL

MARS

FÉVRIER

JANVIER

NOVEMBRE ET DÉCEMBRE : constellations clés

Les constellations voisines Andromède et le Triangle sont toutes deux bien connues, non pour leurs étoiles brillantes, mais pour les objets du ciel profond qu'elles contiennent : la belle galaxie d'Andromède, et M 33 dans le Triangle. Pour la plupart des observateurs, la galaxie d'Andromède, voisine de la nôtre, la Voie lactée, est l'objet le plus lointain visible à l'œil nu.

ÉRIDAN *Eridanus*

L'Éridan, rivière mythologique, coule à travers le ciel entre deux étoiles brillantes : Rigel (β), dans Orion (p. 112), en haut, et Achernar, dans Éridan, en bas. Achernar, dont le nom arabe signifie « fin de la rivière », est la 9e étoile la plus brillante du ciel. Le reste de la rivière est formé d'étoiles moins lumineuses. Commençant très près de l'équateur céleste, elle coule vers le sud, jusqu'à presque 60° S. : ainsi, beaucoup d'observateurs ne verront qu'une partie de son cours.

45
32
17
μ ν
o¹
β ω
δ ε ζ
η
ψ
o²
λ
39
π
64
1535
γ
53
τ¹
54
τ⁶ τ⁵ τ⁴ τ²
15 τ³
τ⁹
τ⁸
υ¹
υ²
υ⁴
υ³

Avec des jumelles, cette nébuleuse planétaire apparaît comme une pâle étoile bleue.

Galaxie spirale barrée

θ
1291
ι

κ

φ χ

Achernar

Étoile bleu-blanc de magnitude 0,5, Achernar marque l'extrémité sud de la constellation.

ANDROMÈDE *Andromeda*

Les étoiles d'Andromède ne forment pas un dessin évident, et la meilleure façon de trouver la constellation consiste à localiser le Grand Carré de Pégase (p. 128) avec ses quatre étoiles brillantes, dont une, Alpheratz (α), appartient à Andromède ; on peut ensuite tirer une ligne de cette étoile à Mirach (β). Non loin de Mirach, la galaxie d'Andromède (M 31) est visible à l'œil nu comme une tache lumineuse pâle.

65
51
3
Gamma (γ) est une étoile double.
8 7
60
φ
ξ
ψ λ
χ ω
κ
γ
Galaxie d'Andromède
ι
o
7662
58
τ υ
M 110
752
ν
M 32
θ
Almach
Mirach
β
π

Les galaxies M 32 et M 110 sont proches de la galaxie d'Andromède.

δ
Alpheratz
ε

Cette nébuleuse planétaire n'est visible que dans un télescope.

η ζ

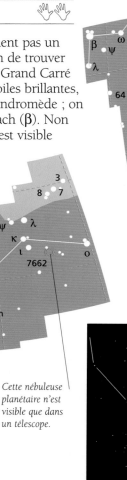

🔭 La galaxie d'Andromède
Des jumelles révèlent la forme spirale de la galaxie. Son noyau regorgeant d'étoiles apparaît comme une zone plus brillante au centre.

👁 Les étoiles d'Éridan
Le cours de l'Éridan est visible à l'œil nu. On en voit ici l'extrémité sud, avec Achernar (α) juste au-dessus de l'horizon ; Chi (χ) et Phi (φ) sont au-dessous et à gauche du centre.

LES OBJETS DU CIEL PROFOND	Voie lactée	Galaxie	Amas globulaire	Amas ouvert	Nébuleuse diffuse	Nébuleuse planétaire

LE TRIANGLE *Triangulum*

Les étoiles lumineuses du Triangle forment un triangle très net, la constellation est donc facile à repérer. Elle contient de nombreuses galaxies, dont la plupart ne sont pas accessibles à un équipement classique d'amateur, à l'exception de M 33 : cette dernière appartient à l'Amas local de galaxies, les plus proches de notre galaxie, la Voie lactée.

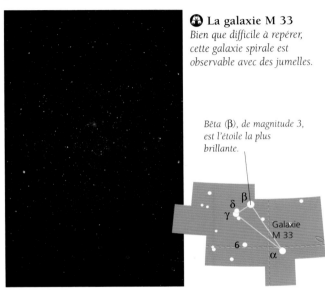

🜨 La galaxie M 33
Bien que difficile à repérer, cette galaxie spirale est observable avec des jumelles.

Bêta (β), de magnitude 3, est l'étoile la plus brillante.

Galaxie M 33

PERSÉE *Perseus*

Persée était le héros de la mythologie grecque qui décapita Méduse, la Gorgone. L'étoile brillante Algol, qui représente le mauvais œil de Méduse, est une binaire à éclipses (p. 87) qui varie entre les magnitudes 2,1 et 3,5 en un peu moins de trois jours. Persée est aussi la constellation d'où la pluie de météores des Perséides (pp. 74-75) rayonne en août.

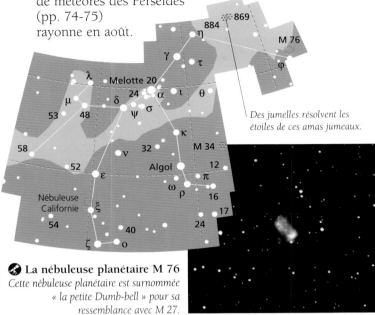

Des jumelles résolvent les étoiles de ces amas jumeaux.

✪ La nébuleuse planétaire M 76
Cette nébuleuse planétaire est surnommée « la petite Dumb-bell » pour sa ressemblance avec M 27.

LA BALEINE *Cetus*

La Baleine est la quatrième constellation du ciel en taille. Sa tête est au nord de l'équateur céleste, son corps au sud. Elle ne contient pas d'étoiles brillantes, et seule Mira, une géante rouge pulsante, est notable : la plupart du temps, cette étoile variable (p. 87) est invisible à l'œil nu, mais, à son maximum, elle atteint la magnitude 3.

Galaxie au centre brillant, M 77 est visible dans un télescope.

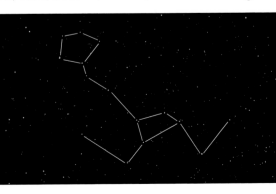

✪ Les étoiles de la Baleine
Un cercle d'étoiles forme la tête de la baleine ; on peut trouver la queue en localisant Deneb Kaitos (β), l'étoile brillante en bas à droite.

La galaxie NGC 247 (magnitude 9), visible au télescope, appartient au groupe du Sculpteur.

| SYMBOLES DES MAGNITUDES | ● –1 | ● 0 | ● 1 | ● 2 | ● 3 | ● 4 | • 5 | · 6 |

AGENDA DES ÉVÉNEMENTS

Ce guide recense mois par mois les objets ou les événements qui ne sont visibles qu'à certaines époques de l'année. Ce guide est utilisable n'importe quelle année, dans les latitudes boréales ou australes. Réglez le planisphère pour savoir si et quand les objets sont dans votre ciel, et regardez les tables de lever et de coucher du Soleil pour savoir quand votre ciel est noir.

JANVIER

PRINCIPAUX OBJETS

M 42, la grande nébuleuse d'Orion, dans l'épée du chasseur Orion (p. 112), est bien visible à l'œil nu quand elle est haut sur l'horizon.
Les Hyades et les Pléiades (Taureau) sont visibles à l'œil nu.

VISIBLES AUSSI

Aldébaran (Taureau) ; Castor et Pollux (Gémeaux) ; Sirius (Grand Chien) ; Procyon (Petit Chien) ; M 36, M 37 et M 38 (Cocher) ; M 41 (Grand Chien) ; NGC 2244 (Licorne).

PLUIE DE MÉTÉORES

Les observateurs de l'hémisphère Nord peuvent voir les Quadrantides, qui rayonnent du nord de la constellation du Bouvier (p. 120), vers le 3 ou le 4 janvier ; ils sont plus faciles à voir après minuit.

FÉVRIER

PRINCIPAUX OBJETS

M 41 (Grand Chien) est visible à l'œil nu si les conditions sont bonnes.
On peut voir l'amas stellaire **NGC 2244** au centre de la nébuleuse Rosette (Licorne). Trois étoiles brillantes, **Bételgeuse** (Orion), **Procyon** (Petit Chien) et **Sirius** (Grand Chien), forment le Triangle d'hiver pour les observateurs de l'hémisphère Nord ; le même triangle est aussi visible dans l'hémisphère Sud, où c'est alors l'été.

VISIBLES AUSSI

Aldébaran (Taureau) ; Castor et Pollux (Gémeaux) ; Rigel (Orion) ; M 36, M 37 et M 38 (Cocher) ; M 44, l'amas de la Ruche (Cancer) ; les amas stellaires des Hyades et des Pléiades (Taureau) ; M 42, la grande nébuleuse d'Orion (Orion) ; NGC 3372, la nébuleuse Êta Carinae (Carène).

MARS

PRINCIPAUX OBJETS

M 44, l'amas de la Ruche (Cancer), est visible à l'œil nu si les conditions sont bonnes. Des jumelles révèlent un essaim d'étoiles peu lumineuses.
NGC 3372, la nébuleuse Êta Carinae (Carène), dans la Voie lactée, apparaît à l'œil nu comme une tache brillante.
Le Sac à charbon (Croix du Sud) est une nébuleuse obscure dans la Voie lactée ; elle a l'air d'un trou dans le ciel.

VISIBLES AUSSI

Castor et Pollux (Gémeaux) ; Rigel et Bételgeuse (Orion) ; Sirius (Grand Chien) ; Procyon (Petit Chien) ; Régulus (Lion) ; Spica (Vierge) ; M 36, M 37 et M 38 (Cocher) ; M 41 (Grand Chien) ; NGC 4755 (Croix du Sud) ; M 42, la grande nébuleuse d'Orion (Orion) ; NGC 2244 (Licorne).

JUILLET

PRINCIPAUX OBJETS

M 22 (Sagittaire) est l'un des plus beaux amas globulaires du ciel. À l'œil nu, il a l'aspect d'une étoile floue, mais la vision s'améliore beaucoup avec de bonnes jumelles.
Un triangle d'étoiles, communément appelé le Triangle d'été par les observateurs de l'hémisphère Nord, est formé par trois étoiles brillantes : **Véga** (Lyre), **Deneb** (Cygne) et **Altaïr** (Aigle).
La Fente du Cygne (Cygne) est une nébuleuse obscure (pp. 88-89) située dans la Voie lactée.

VISIBLES AUSSI

Arcturus (Bouvier) ; Spica (Vierge) ; Antarès (Scorpion) ; M 13 (Hercule) ; M 6 et M 7 (Scorpion) ; M 27, nébuleuse planétaire (Petit Renard).

AOÛT

PRINCIPAUX OBJETS

M 8, la nébuleuse du Lagon (Sagittaire), est visible à l'œil nu dans un ciel bien noir ; son nom lui vient de la bande de poussières sombres qui la traverse en son centre. Des jumelles révèlent un essaim d'étoiles peu lumineuses.
Albireo (Cygne) est une étoile double facilement séparée par un petit télescope.

VISIBLES AUSSI

Véga (Lyre) ; Deneb (Cygne) ; Altaïr (Aigle) ; Antarès (Scorpion) ; Fomalhaut (Poisson austral) ; M 13 (Hercule) ; M 22 (Sagittaire) ; NGC 104 (Toucan) ; M 27, nébuleuse planétaire (Petit Renard).

PLUIE DE MÉTÉORES

Les Perséides, la pluie la plus abondante, atteignent leur maximum vers la mi-août, mais sont visibles presque tout le mois.

SEPTEMBRE

PRINCIPAUX OBJETS

M 27 est une nébuleuse planétaire appelée Dumb-bell (l'Haltère) à cause de sa forme. On peut la repérer avec des jumelles, et sa forme apparaît bien avec un télescope. C'est une bonne cible pour une caméra CCD.
L'étoile **Delta Cephei** varie en luminosité ; un télescope montre qu'elle possède un compagnon moins lumineux.
NGC 104 (Toucan), appelé aussi 47 Tucanae, est le deuxième plus bel amas globulaire du ciel. À l'œil nu, il ressemble à une étoile floue.

VISIBLES AUSSI

Véga (Lyre) ; Deneb (Cygne) ; Altaïr (Aigle) ; Fomalhaut (Poisson austral) ; NGC 869 et NGC 884, le Double Amas (Persée) ; M 31, la galaxie d'Andromède (Andromède) ; la Fente du Cygne (Cygne).

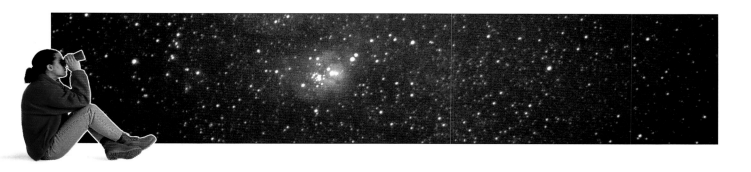

AVRIL

PRINCIPAUX OBJETS

L'amas de **la Boîte à bijoux**, NGC 4755 (Croix du Sud), est haut dans le ciel en fin de soirée dans l'hémisphère Sud. Il apparaît à l'œil nu comme une étoile floue, tandis qu'avec des jumelles ou un télescope ses étoiles diversement colorées brillent comme des joyaux.

VISIBLES AUSSI

Arcturus (Bouvier) ; Spica (Vierge) ; Régulus (Lion) ; Procyon (Petit Chien) ; M 44 (Cancer) ; NGC 2244 (Licorne) ; NGC 5139, Oméga Centauri (Centaure) ; le Sac à charbon (Croix du Sud) ; NGC 3372, la nébuleuse Êta Carinae (Carène).

PLUIE DE MÉTÉORES

Dans l'hémisphère Nord, on peut voir les Lyrides vers le 21 avril. Ils rayonnent d'un point situé près de l'étoile brillante Véga, dans la Lyre.

MAI

PRINCIPAUX OBJETS

Oméga Centauri, NGC 5139, est à cette époque le plus bel amas globulaire du ciel. Il est particulièrement bien placé en fin de soirée pour les observateurs de l'hémisphère Sud, clairement visible à l'œil nu comme une étoile floue.

VISIBLES AUSSI

Arcturus (Bouvier) ; Spica (Vierge) ; Régulus (Lion) ; Antarès (Scorpion) ; Véga (Lyre) ; M 6 et M 7 (Scorpion) ; M 44 (Cancer) ; NGC 4755 (Croix du Sud) ; M 13 (Hercule) ; NGC 3372, la nébuleuse Êta Carinae (Carène).

PLUIE DE MÉTÉORES

Dans l'hémisphère Sud, on peut voir les Êta Aquarides, qui rayonnent du Verseau entre fin avril et fin mai, atteignant un maximum d'intensité vers le 5 mai.

JUIN

PRINCIPAUX OBJETS

M 13, dans Hercule (p. 124), le plus spectaculaire des amas globulaires du ciel boréal, est haut sur l'horizon en fin de soirée, clairement visible à l'œil nu sur un fond sombre.
M 6 et M 7, deux amas stellaires impressionnants du Scorpion (p. 109), sont visibles à l'œil nu sur le fond de la Voie lactée, mais on les voit mieux et de manière plus intéressante avec des jumelles, dont le large champ de vision permet de voir davantage d'étoiles.

VISIBLES AUSSI

Arcturus (Bouvier) ; Spica (Vierge) ; Antarès (Scorpion) ; Véga (Lyre) ; M 22 (Sagittaire) ; NGC 5139, Oméga Centauri (Centaure) ; M 8, la nébuleuse du Lagon (Sagittaire) ; M 27, nébuleuse planétaire (Petit Renard).

OCTOBRE

PRINCIPAUX OBJETS

M 31, la galaxie d'Andromède (Andromède), est visible à l'œil nu.
Le Grand Carré de Pégase est formé par trois étoiles de Pégase et une d'Andromède, toutes bien placées pour les observateurs du Nord comme du Sud.

VISIBLES AUSSI

Fomalhaut (Poisson austral) ; Achernar (Éridan) ; NGC 104 (Toucan) ; les Hyades et les Pléiades (Taureau) ; NGC 869 et NGC 884 le Double Amas (Persée) ; la Fente du Cygne (Cygne).

PLUIE DE MÉTÉORES

Les Orionides sont visibles dans la seconde moitié du mois. Ils rayonnent d'Orion (p. 112) et se voient mieux après minuit et autour du 21 octobre.

NOVEMBRE

PRINCIPAUX OBJETS

NGC 869 et NGC 884 (Persée) forment le Double Amas, situé dans un bras spiral de notre galaxie, la Voie lactée. On peut les voir à l'œil nu, mais ils sont plus nets dans des jumelles.

VISIBLES AUSSI

Bételgeuse et Rigel (Orion) ; Aldébaran (Taureau) ; Capella (Cocher) ; Achernar (Éridan) ; les Hyades et les Pléiades (Taureau) ; M 36, M 37 et M 38 (Cocher) ; M 41 (Grand Chien) ; NGC 2070, la nébuleuse Tarentule (Dorade) ; M 42, la grande nébuleuse d'Orion (Orion) ; M 31, la galaxie d'Andromède.

PLUIE DE MÉTÉORES

Les Taurides atteignent leur maximum début novembre, mais on peut voir des météores de fin octobre à fin novembre. Les Léonides rayonnent du Lion, avec un maximum le 17 novembre.

DÉCEMBRE

PRINCIPAUX OBJETS

M 36, M 37 et M 38 (Cocher) sont visibles avec des jumelles. Un télescope montre les étoiles de ces amas.
Apparaissant à l'œil nu comme une tache floue, le **Grand Nuage de Magellan** (Dorade), galaxie satellite de la nôtre, est bien net dans des jumelles.

VISIBLES AUSSI

Bételgeuse et Rigel (Orion) ; Aldébaran (Taureau) ; Capella (Cocher) ; Achernar (Éridan) ; Procyon (Petit Chien) ; Canopus (Carène) ; M 41 (Grand Chien) ; M 44, l'amas de la Ruche (Cancer) ; la grande nébuleuse d'Orion (Orion).

PLUIE DE MÉTÉORES

Les Géminides rayonnent d'un point proche de l'étoile brillante Castor (Gémeaux). Cette pluie atteint son maximum vers le 13 décembre.

DONNÉES ASTRONOMIQUES

LES CONSTELLATIONS

La sphère céleste est divisée en 88 constellations, agréées par l'Union astronomique internationale depuis 1930. La table ci-dessous récapitule le nom latin, son génitif (qui indique l'appartenance), et le nom français des 88 constellations officielles.

Nom	Génitif	Nom français
Andromeda	Andromedae	Andromède
Antlia	Antliae	la Machine pneumatique
Apus	Apodis	l'Oiseau de Paradis
Aquarius	Aquarii	le Verseau
Aquila	Aquilae	l'Aigle
Ara	Arae	l'Autel
Aries	Arietis	le Bélier
Auriga	Aurigae	le Cocher
Bootes	Bootis	le Bouvier
Caelum	Caeli	le Burin
Camelopardalis	Camelopardalis	la Girafe
Cancer	Cancri	le Cancer
Canes Venatici	Canum Venaticorum	les Chiens de Chasse
Canis Major	Canis Majoris	le Grand Chien
Canis Minor	Canis Minoris	le Petit Chien
Capricornus	Capricorni	le Capricorne
Carina	Carinae	la Carène
Cassiopeia	Cassiopeiae	Cassiopée
Centaurus	Centauri	le Centaure
Cepheus	Cephei	Céphée
Cetus	Ceti	la Baleine
Chamaeleon	Chamaleontis	le Caméléon
Circinus	Circini	le Compas
Columba	Columbae	la Colombe
Coma Berenices	Comae Berenices	la Chevelure de Bérénice
Corona Australis	Coronae Australis	la Couronne australe
Corona Borealis	Coronae Borealis	la Couronne boréale
Corvus	Corvi	le Corbeau
Crater	Crateris	la Coupe
Crux	Crucis	la Croix du Sud
Cygnus	Cygni	le Cygne
Delphinus	Delphini	le Dauphin
Dorado	Doradus	la Dorade
Draco	Draconis	le Dragon
Equuleus	Equulei	le Petit Cheval
Eridanus	Eridani	l'Éridan
Fornax	Fornacis	le Fourneau
Gemini	Geminorum	les Gémeaux
Grus	Gruis	la Grue
Hercules	Herculis	Hercule
Horologium	Horologii	l'Horloge
Hydra	Hydrae	l'Hydre femelle
Hydrus	Hydri	l'Hydre mâle
Indus	Indi	l'Indien
Lacerta	Lacertae	le Lézard
Leo	Leonis	le Lion
Leo Minor	Leonis Minoris	le Petit Lion
Lepus	Leporis	le Lièvre
Libra	Librae	la Balance
Lupus	Lupi	le Loup
Lynx	Lyncis	le Lynx
Lyra	Lyrae	la Lyre
Mensa	Mensae	la Table
Microscopium	Microscopii	le Microscope
Monoceros	Monocerotis	la Licorne
Musca	Muscae	la Mouche
Norma	Normae	la Règle
Octans	Octantis	l'Octant
Ophiuchus	Ophiuchi	Ophiucus
Orion	Orionis	Orion
Pavo	Pavonis	le Paon
Pegasus	Pegasi	Pégase
Perseus	Persei	Persée
Phoenix	Phoenicis	le Phénix
Pictor	Pictoris	le Peintre
Pisces	Piscium	les Poissons
Piscis Austrinus	Piscis Austrini	le Poisson austral
Puppis	Puppis	la Poupe
Pyxis	Pyxidis	la Boussole
Reticulum	Reticuli	le Réticule
Sagitta	Sagittae	la Flèche
Sagittarius	Sagittarii	le Sagittaire
Scorpius	Scorpii	le Scorpion
Sculptor	Sculptoris	le Sculpteur
Scutum	Scuti	l'Écu de Sobieski
Serpens	Serpentis	le Serpent
Sextans	Sextantis	le Sextant
Taurus	Tauri	le Taureau
Telescopium	Telescopii	le Télescope
Triangulum	Trianguli	le Triangle
Triangulum Australe	Trianguli Australis	le Triangle austral
Tucana	Tucanae	le Toucan
Ursa Major	Ursae Majoris	la Grande Ourse
Ursa Minor	Ursae Minoris	la Petite Ourse
Vela	Velorum	les Voiles
Virgo	Virginis	la Vierge
Volans	Volantis	le Poisson volant
Vulpecula	Vulpeculae	le Petit Renard

LEVER ET COUCHER DE SOLEIL

Latitude	15 JANVIER Lever	Coucher	15 FÉVRIER Lever	Coucher	15 MARS Lever	Coucher	15 AVRIL Lever	Coucher	15 MAI Lever	Coucher	15 JUIN Lever	Coucher
60° N.	08 h 50 m	15 h 30 m	07 h 40 m	16 h 50 m	06 h 20 m	18 h 00 m	04 h 40 m	19 h 20 m	03 h 20 m	20 h 30 m	02 h 40 m	21 h 20 m
40° N.	07 h 20 m	17 h 00 m	06 h 50 m	17 h 40 m	06 h 10 m	18 h 10 m	05 h 20 m	18 h 40 m	04 h 40 m	19 h 10 m	04 h 30 m	19 h 30 m
20° N.	06 h 40 m	17 h 40 m	06 h 30 m	18 h 00 m	06 h 10 m	18 h 10 m	05 h 40 m	18 h 20 m	05 h 20 m	18 h 30 m	05 h 20 m	18 h 40 m
0°	06 h 10 m	18 h 10 m	06 h 10 m	18 h 20 m	06 h 10 m	18 h 10 m	06 h 00 m	18 h 00 m	05 h 50 m	18 h 00 m	06 h 00 m	18 h 00 m
20° S.	05 h 30 m	18 h 50 m	05 h 50 m	18 h 40 m	06 h 00 m	18 h 20 m	06 h 10 m	17 h 50 m	06 h 20 m	17 h 30 m	06 h 30 m	17 h 30 m
40° S.	04 h 50 m	19 h 30 m	05 h 30 m	19 h 00 m	06 h 00 m	18 h 20 m	06 h 30 m	17 h 30 m	07 h 00 m	17 h 00 m	07 h 20 m	16 h 40 m

Latitude	15 JUILLET Lever	Coucher	15 AOÛT Lever	Coucher	15 SEPTEMBRE Lever	Coucher	15 OCTOBRE Lever	Coucher	15 NOVEMBRE Lever	Coucher	15 DÉCEMBRE Lever	Coucher
60° N.	03 h 00 m	21 h 10 m	04 h 10 m	19 h 50 m	05 h 30 m	18 h 20 m	06 h 40 m	16 h 50 m	08 h 00 m	15 h 30 m	09 h 00 m	14 h 50 m
40° N.	04 h 40 m	19 h 30 m	05 h 10 m	19 h 00 m	05 h 40 m	18 h 10 m	06 h 10 m	17 h 20 m	06 h 50 m	16 h 40 m	07 h 10 m	16 h 40 m
20° N.	05 h 30 m	18 h 40 m	05 h 40 m	18 h 30 m	05 h 50 m	18 h 00 m	05 h 50 m	17 h 40 m	06 h 10 m	17 h 20 m	06 h 30 m	17 h 20 m
0°	06 h 00 m	18 h 10 m	06 h 00 m	18 h 10 m	05 h 50 m	18 h 00 m	05 h 40 m	17 h 50 m	05 h 40 m	17 h 50 m	05 h 50 m	18 h 00 m
20° S.	06 h 40 m	17 h 40 m	06 h 20 m	17 h 50 m	06 h 00 m	18 h 00 m	05 h 30 m	18 h 00 m	05 h 10 m	18 h 30 m	05 h 20 m	18 h 40 m
40° S.	07 h 20 m	16 h 50 m	06 h 50 m	17 h 20 m	06 h 00 m	17 h 50 m	05 h 10 m	18 h 20 m	04 h 40 m	18 h 50 m	04 h 30 m	19 h 20 m

LES OBJETS DE MESSIER

De nombreux objets stellaires mentionnés dans cet ouvrage sont des objets de Messier. Ils sont identifiés par la lettre M, suivie d'un nombre. Ces nombres ont été attribués jusqu'à 110 par l'astronome français Charles Messier, à la fin du XVIIIe siècle, qui souhaitait ainsi éviter les confusions avec les comètes. Aujourd'hui, le travail de Messier est considéré par les astronomes comme un catalogue des plus beaux amas stellaires et galaxies du ciel nocturne.

N°	Constellation	Description
1	Taureau	Reste de supernova
2	Verseau	Amas globulaire
3	Chiens de Chasse	Amas globulaire
4	Scorpion	Amas globulaire
5	Serpent	Amas globulaire
6	Scorpion	Amas ouvert
7	Scorpion	Amas ouvert
8	Sagittaire	Nébuleuse diffuse
9	Ophiucus	Amas globulaire
10	Ophiucus	Amas globulaire
11	Écu de Sobieski	Amas ouvert
12	Ophiucus	Amas globulaire
13	Hercule	Amas globulaire
14	Ophiucus	Amas globulaire
15	Pégase	Amas globulaire
16	Serpent	Amas ouvert
17	Sagittaire	Nébuleuse diffuse
18	Sagittaire	Amas ouvert
19	Ophiucus	Amas globulaire
20	Sagittaire	Nébuleuse diffuse
21	Sagittaire	Amas ouvert
22	Sagittaire	Amas globulaire
23	Sagittaire	Amas ouvert
24	Sagittaire	Champ stellaire
25	Sagittaire	Amas ouvert
26	Écu de Sobieski	Amas ouvert

N°	Constellation	Description
27	Petit Renard	Nébuleuse planétaire
28	Sagittaire	Amas globulaire
29	Cygne	Amas ouvert
30	Capricorne	Amas globulaire
31	Andromède	Galaxie spirale
32	Andromède	Galaxie elliptique
33	Triangle	Galaxie spirale
34	Persée	Amas ouvert
35	Gémeaux	Amas ouvert
36	Cocher	Amas ouvert
37	Cocher	Amas ouvert
38	Cocher	Amas ouvert
39	Cygne	Amas ouvert
40	Grande Ourse	Étoile double faible
41	Grand Chien	Amas ouvert
42	Orion	Nébuleuse diffuse
43	Orion	Nébuleuse diffuse
44	Cancer	Amas ouvert
45	Taureau	Amas ouvert
46	Poupe	Amas ouvert
47	Poupe	Amas ouvert
48	Hydre femelle	Amas ouvert
49	Vierge	Galaxie elliptique
50	Licorne	Amas ouvert
51	Chiens de Chasse	Galaxie spirale
52	Cassiopée	Amas ouvert
53	Chevelure de Bérénice	Amas globulaire
54	Sagittaire	Amas globulaire
55	Sagittaire	Amas globulaire
56	Lyre	Amas globulaire
57	Lyre	Nébuleuse planétaire
58	Vierge	Galaxie spirale
59	Vierge	Galaxie elliptique
60	Vierge	Galaxie elliptique
61	Vierge	Galaxie spirale
62	Ophiucus	Amas globulaire
63	Chiens de Chasse	Galaxie spirale
64	Chevelure de Bérénice	Galaxie spirale
65	Lion	Galaxie spirale
66	Lion	Galaxie spirale
67	Cancer	Amas ouvert
68	Hydre femelle	Amas globulaire

N°	Constellation	Description
69	Sagittaire	Amas globulaire
70	Sagittaire	Amas globulaire
71	Flèche	Amas globulaire
72	Verseau	Amas globulaire
73	Verseau	Petit groupe d'étoiles
74	Poissons	Galaxie spirale
75	Sagittaire	Amas globulaire
76	Persée	Nébuleuse planétaire
77	Baleine	Galaxie spirale
78	Orion	Nébuleuse diffuse
79	Lièvre	Amas globulaire
80	Scorpion	Amas globulaire
81	Grande Ourse	Galaxie spirale
82	Grande Ourse	Galaxie irrégulière
83	Hydre femelle	Galaxie spirale
84	Vierge	Galaxie elliptique
85	Chevelure de Bérénice	Galaxie elliptique
86	Vierge	Galaxie elliptique
87	Vierge	Galaxie elliptique
88	Chevelure de Bérénice	Galaxie spirale
89	Vierge	Galaxie elliptique
90	Vierge	Galaxie spirale
91	Chevelure de Bérénice	Galaxie spirale
92	Hercule	Amas globulaire
93	Poupe	Amas ouvert
94	Chiens de Chasse	Galaxie spirale
95	Lion	Galaxie spirale
96	Lion	Galaxie spirale
97	Grande Ourse	Nébuleuse planétaire
98	Chevelure de Bérénice	Galaxie spirale
99	Chevelure de Bérénice	Galaxie spirale
100	Chevelure de Bérénice	Galaxie spirale
101	Grande Ourse	Galaxie spirale
102	Dulicata de M 101 ci-dessus	
103	Cassiopée	Amas ouvert
104	Vierge	Galaxie spirale
105	Lion	Galaxie elliptique
106	Chiens de Chasse	Galaxie spirale
107	Ophiucus	Amas globulaire
108	Grande Ourse	Galaxie spirale
109	Grande Ourse	Galaxie spirale
110	Andromède	Galaxie elliptique

COMÈTES DE 1999 À 2010

Nom de la comète périodique	Date d'observation	Période orbitale en années	Constellation au meilleur moment	Magnitude au meilleur moment
Tempel 2	09/1999	5,47	Scorpion	8,5
Schwassmann-Wachmann 3	01/2001	5,36	Ophiucus	7,0
Honda-Mrkos-Pajdusakova	03/2001	5,25	Bélier	9,0
Borelly	09/2001	6,86	Cancer	9,5
Encke	12/2003	3,30	Aigle	7,0
Tempel	06/2005	5,51	Vierge	9,5
Chernykh	10/2005	13,9	Baleine	10
Schwassmann-Wachmann 3	05/2006	5,36	Hercule	1,5
Honda-Mrkos-Pajdusakova	06/2006	5,25	Bélier	10
Faye	11/2006	7,55	Poissons	10
Tuttle	01/2008	13,6	Poissons	5,0
Kopff	07/2009	6,44	Verseau	9,0
Wild 2	03/2010	6,42	Vierge	8,5
Tempel 2	07/2010	5,37	Baleine	8,0
Hartley	10/2010	6,47	Gémeaux	5,0

LUNES PLANÉTAIRES DE PLUS DE 3 000 KM DE DIAMÈTRE

Lune	Planète mère	Distance moyenne à la planète (km)	Période orbitale en jours	Diamètre (km)	Magnitude (au maximum d'éclat)
Ganymède	Jupiter	1 070 000	7,15	5 268	4,6
Titan	Saturne	1 221 860	15,94	5 150	8,4
Callisto	Jupiter	1 880 000	16,69	4 806	5,6
Io	Jupiter	421 600	1,77	3 660	5,0
Lune	Terre	384 400	27,32	3 476	−12,7
Europe	Jupiter	670 900	3,55	3 130	5,3

CONVERTIR LE TEMPS UNIVERSEL EN TEMPS LOCAL

Les dates des phénomènes célestes sont indiquées en Temps universel, abrégé UT ou TU. Celui-ci est basé sur le temps local de Greenwich, en Angleterre, à 0° de longitude. Pour connaître l'heure d'un phénomène astronomique chez vous, vous devez convertir son TU en temps local, et devez pour cela connaître le fuseau horaire dans lequel vous vivez. En général, un fuseau horaire correspond à 15° de longitude et à une heure d'écart en temps. Ajoutez ou soustrayez cette différence au TU (ajoutez à l'est de Greenwich, soustrayez à l'ouest). N'oubliez pas d'ajouter une heure si l'heure d'été est en vigueur au moment de l'observation.

Le planisphère (pp. 22-23) et les dates de lever et coucher du Soleil (p. 136) sont en temps local. Pensez seulement, pendant la période concernée, à ajouter une heure (heure d'été).

GLOSSAIRE

AMAS GLOBULAIRE
Groupe dense d'étoiles en forme de boule, comprenant des dizaines ou des centaines de milliers de membres. Les amas globulaires contiennent certaines des plus vieilles étoiles connues.

AMAS OUVERT
Amas clairsemé, de forme irrégulière, contenant des dizaines ou des centaines d'étoiles, situé en général dans les bras spiraux des galaxies. Les étoiles y sont beaucoup plus espacées que dans un amas globulaire.

ANNÉE-LUMIÈRE
Unité de distance, et non de temps : c'est la distance parcourue par un faisceau de lumière en un an, soit 9 460 700 000 000 kilomètres.

ASCENSION DROITE
Coordonnée de la sphère céleste : équivalent de la longitude sur la Terre. On la mesure vers l'est le long de l'équateur céleste, à partir du point où le Soleil franchit cet équateur vers le nord (point vernal).

ASTÉRISME
Motif remarquable formé par des étoiles d'une ou de plusieurs constellations, par exemple le Chariot, qui fait partie de la Grande Ourse, ou le Grand Carré de Pégase, formé par des étoiles de Pégase et d'Andromède.

ASTÉROÏDE
Petit objet rocheux en orbite autour du Soleil.

AXE
Ligne imaginaire autour de laquelle un objet tourne sur lui-même.

BINAIRE À ÉCLIPSES
Paire d'étoiles liées par la gravité, dans laquelle une des composantes passe périodiquement devant l'autre, occultant sa lumière pour les observateurs terrestres.

CÉPHÉIDE
Type d'étoile variable qui fluctue régulièrement en taille et en luminosité, selon une période de quelques jours à quelques semaines liée à sa luminosité moyenne.

COMÈTE
Boule de neige et de poussière de la taille d'une montagne, en orbite autour du Soleil. Une comète développe une tête et des queues en s'approchant du Soleil.

CONJONCTION
Cas où deux corps du système solaire (par exemple le Soleil et une planète) ont la même longitude, vus depuis la Terre, et paraissent donc proches l'un de l'autre dans le ciel.

CONSTELLATION
Région du ciel, correspondant autrefois à un motif stellaire, et aujourd'hui délimitée par des frontières établies par l'Union astronomique internationale. La sphère céleste est divisée en 88 constellations.

DÉCLINAISON
Coordonnée de la sphère céleste : angle entre un objet et l'équateur céleste, équivalent de la latitude sur la Terre ; on la mesure au nord ou au sud de l'équateur céleste.

DISPOSITIF À TRANSFERT DE CHARGE (CCD)
Détecteur électronique sensible à la lumière, qui a remplacé la pellicule photographique pour enregistrer les images d'objets célestes. Son extrême sensibilité et sa dynamique lui permettent de détecter des objets de très faible luminosité et des objets brillants.

ÉCLIPSE
Cas où un objet céleste est caché par un autre, vu de la Terre.

ÉCLIPTIQUE
Plan de l'orbite de la Terre autour du Soleil, projeté sur la sphère céleste. Au cours de l'année, le Soleil semble traverser le ciel de la Terre en suivant l'écliptique. Les planètes sont toujours proches de l'écliptique.

ÉLONGATION
Angle entre une planète et le Soleil ou entre une lune et sa planète pour un observateur terrestre.

ÉQUATEUR CÉLESTE
Cercle imaginaire qui sépare la sphère céleste en deux hémisphères célestes Nord et Sud. C'est l'extension céleste de l'équateur de la Terre.

ÉTOILE
Sphère de gaz lumineuse qui produit de l'énergie par les réactions nucléaires dans son noyau. Les étoiles sont constituées essentiellement d'hydrogène et d'hélium.

ÉTOILE BINAIRE
Paire d'étoiles liées par la gravité, tournant autour du centre de gravité de l'ensemble. Voir aussi Binaire à éclipses.

ÉTOILE CIRCUMPOLAIRE
Étoile restant toute la nuit au-dessus de l'horizon, sans se lever ni se coucher, vue d'un endroit donné depuis la Terre. L'étoile décrit un cercle autour d'un des pôles célestes.

ÉTOILE DOUBLE
Deux étoiles qui paraissent proches l'une de l'autre, vues depuis la Terre. Voir aussi Étoile binaire et Étoile double optique.

ÉTOILE DOUBLE OPTIQUE
Deux étoiles qui paraissent proches l'une de l'autre dans le ciel, mais qui, en réalité, sont à des distances différentes de la Terre.

ÉTOILE GÉANTE
Grande étoile lumineuse, à un stade avancé de sa vie. Les étoiles géantes ont au moins 10 fois le diamètre du Soleil et sont mille fois plus lumineuses.

ÉTOILE SUPERGÉANTE
Étoile du type le plus grand et le plus lumineux. C'est le stade atteint en fin de vie par une étoile au moins 10 fois plus massive que le Soleil.

ÉTOILE VARIABLE
Étoile dont les propriétés physiques, la luminosité, par exemple, varient au cours du temps. Ces variations sont généralement dues à des fluctuations de taille, mais certaines variables sont des binaires proches où l'une des étoiles éclipse périodiquement l'autre. Voir aussi Céphéide, Mira.

EXTRAGALACTIQUE
S'applique à ce qui est extérieur à notre galaxie, la Voie lactée, et, notamment, aux autres galaxies.

GALAXIE
Masse de millions ou milliards d'étoiles, retenues ensemble par la gravité.

LUMINOSITÉ
Puissance intrinsèque rayonnée par un objet céleste. Elle est mesurée par sa magnitude absolue.

MAGNITUDE
Brillance d'un objet céleste, mesurée sur une échelle numérique où les objets brillants reçoivent une valeur faible ou négative, et les objets peu brillants, une valeur élevée.

MAGNITUDE ABSOLUE
Mesure de la luminosité intrinsèque d'un objet, définie comme la brillance qu'il aurait à une distance standard de la Terre.

MAGNITUDE APPARENTE
Mesure de la brillance d'un objet, vu de la Terre.

MÉTÉORE
Trait de lumière dans le ciel provoqué par une petite particule de poussière ou un morceau de roche de l'espace entrant dans la haute atmosphère et y brûlant.

MÉTÉORITE
Fragment d'astéroïde ou de comète tombé sur une planète ou un satellite.

MIRA
Étoile rouge, géante ou supergéante, fluctuant en taille et en luminosité sur une période de quelques mois à quelques années ; la variation de luminosité atteint parfois 11 magnitudes.

MOUVEMENT DIRECT
Mouvement habituel des objets du système solaire, sous trois formes :
(1) mouvement apparent d'ouest en est d'un objet vu de la Terre sur le fond étoilé ;
(2) mouvement orbital dans le sens inverse des aiguilles d'une montre (vu du pôle Nord d'un objet) d'un corps autour du Soleil, ou d'une lune autour d'une planète ;
(3) rotation dans le sens inverse des aiguilles d'une montre d'un corps (vu de son pôle Nord).

MOUVEMENT RÉTROGRADE
Mouvement opposé au mouvement normal, direct, dans le système solaire :
(1) mouvement apparent d'est en ouest d'un objet sur le fond étoilé ;
(2) orbite dans le sens des aiguilles d'une montre (vue du pôle Nord de l'objet) d'un objet autour du Soleil, ou d'une lune autour d'une planète ;
(3) rotation dans le sens des aiguilles d'une montre d'un corps (vu de son pôle Nord).

NAINE BLANCHE
Étoile petite et dense, de masse comparable à celle du Soleil, mais dont le diamètre n'est que d'environ 1 % de celui de ce dernier. Les naines blanches sont les reliques atrophiées d'étoiles qui ont épuisé leur carburant.

NÉBULEUSE
Nuage de gaz et de poussières, qu'on trouve en général dans les bras spiraux d'une galaxie. Certaines nébuleuses sont brillantes, illuminées par des étoiles qu'elles contiennent, tandis que d'autres sont obscures, visibles seulement en ombres chinoises sur un fond plus brillant. Voir aussi Nébuleuse planétaire.

NÉBULEUSE OBSCURE
Nuage de gaz interstellaire et de poussières qui occulte la lumière des étoiles et des autres objets situés derrière lui. La nébuleuse de la Tête de Cheval, dans Orion, en est un exemple.

NÉBULEUSE PLANÉTAIRE
Coquille de gaz éjectée par une étoile en fin de vie ; dans un petit télescope, cette coquille ressemble au disque d'une planète, d'où son nom. En fait, elle peut prendre des formes diverses : anneaux, cercles, haltères ou formes irrégulières.

NOVA
Étoile dont l'éclat augmente brusquement et temporairement d'une dizaine de magnitudes. Ce phénomène se produit dans des binaires proches, dont un membre est une naine blanche : du gaz s'écoule du compagnon vers la naine blanche, provoquant une explosion et le surcroît de brillance.

OBJET DU CIEL PROFOND
Tout objet extérieur au système solaire : amas stellaire, nébuleuse, galaxie.

OPPOSITION
Circonstance où un corps du système solaire apparaît à l'opposé du Soleil, vu de la Terre, et est donc visible toute la nuit.

OUVERTURE
Diamètre de l'objectif, lentille ou miroir par lesquels la lumière entre dans un instrument astronomique (lunette ou télescope).

PARALLAXE
Changement de position apparente d'un objet vu de deux endroits différents. Le déplacement dépend de la distance de l'objet à la Terre et de l'écart entre les points d'observation. Les étoiles proches montrent un léger déplacement de parallaxe au cours de l'orbite terrestre, ce qui permet de calculer leur distance.

PHASE
Fraction éclairée d'une planète ou de la Lune, vue depuis la Terre.

PLANÈTE
Corps en orbite autour du Soleil ou d'une autre étoile. Une planète brille par la lumière qu'elle renvoie.

RADIANT
Point du ciel d'où une pluie de météores semble provenir.

RÉSOUDRE
Distinguer des détails, par exemple les étoiles individuelles d'un amas ou des cratères sur la Lune.

RESTE DE SUPERNOVA
Coquille de gaz en expansion, éjectée par l'explosion d'une supernova.

SPHÈRE CÉLESTE
Immense sphère imaginaire entourant la Terre, sur laquelle les objets célestes paraissent se trouver.

SUPERNOVA
Étoile massive qui explose violemment à la fin de sa vie. L'étoile est pratiquement détruite, mais l'explosion la fait briller énormément pendant quelques semaines ou quelques mois.

SYSTÈME SOLAIRE
Le Soleil et les différents corps en orbite autour de lui : les neuf planètes et leurs lunes, les astéroïdes, les comètes et des débris plus petits.

TÉLESCOPE RÉFLECTEUR
Télescope dans lequel la lumière est collectée et concentrée par un miroir.

TÉLESCOPE RÉFRACTEUR (LUNETTE)
Télescope dans lequel la lumière est collectée et concentrée par une lentille.

TÉLESCOPE SCHMIDT-CASSEGRAIN
Type de télescope réflecteur muni en plus d'une lentille correctrice pour éliminer l'aberration (divergence des rayons lumineux qui forment l'image). Ce type de télescope est très compact et donc facile à transporter.

TURBULENCE (SEEING)
Qualité des conditions d'observation au télescope : la stabilité des images est affectée par la turbulence atmosphérique.

UNIVERS
Tout ce qui existe, matière, espace et temps.

UT OU TU (TEMPS UNIVERSEL)
Mesure du temps liée au mouvement apparent du Soleil et servant de base au temps civil.

VOIE LACTÉE
Bande de lumière pâle et brumeuse, visible en travers du ciel par nuit bien noire, formée par d'innombrables étoiles lointaines de notre propre galaxie ; surnom de la Galaxie tout entière.

ZODIAQUE
Bande de ciel située de part et d'autre de l'écliptique, dans laquelle le Soleil, la Lune et les planètes se déplacent au cours de l'année. Bien qu'il y ait 12 constellations zodiacales datant de l'Antiquité, les frontières des constellations officiellement adoptées aujourd'hui impliquent que le Soleil traverse une 13e constellation, Ophiucus.

INDEX

REMERCIEMENTS

L'auteur et l'éditeur remercient les personnes suivantes pour leur aide inappréciable dans la préparation de cet ouvrage : Robin Scagell pour ses conseils sur les photographies ; le personnel du Nautical Almanac Office, Cambridge (en particulier Catherine Hohenkerk et Andrew Sinclair), qui nous a fourni les informations pour les cartes stellaires et les diagrammes de localisation des planètes ; Jonathan Shanklin, pour ses informations sur les comètes, Ian Ridpath, pour ses conseils techniques, et David Hughes.

Dorling Kindersley souhaite aussi remercier Broadhurst, Clarkson & Fuller Ltd Telescope House, 63 Farrington Road, London EC1M 3JB, pour la fourniture de jumelles et télescopes, et en particulier Peter Gallon pour son aide précieuse et ses conseils sur ces instruments ; Francesca Agati, Noel Dockstader, David Douglas, Chacasta Pritlove, Ellen Hughes, Owen Hughes, Lara Maiklem, Simon Oon, Ben Raven et Richard Shellabear, qui ont accepté de poser.

L'auteur tient à remercier les nombreuses personnes qui ont contribué à l'élaboration de *l'Astronome amateur*. J'adresse des remerciements particuliers à Heather Jones et à Vanessa Hamilton, pour leur intérêt constant, leur gentillesse et leur travail acharné, à mon mari, David, et à nos enfants, Ellen et Owen, pour leur amour et leur soutien.

Illustrations

Cartes des constellations : Nautical Almanac Office, Royal Greenwich Observatory.
Illustrations préparées par :
Julian Baum
Gavin Dunn
John Egan
Jason Little
Shadric Toop
Martin Wodward

Photographies

L'éditeur tient à remercier tous ceux qui ont aimablement autorisé la reproduction de leurs photographies :

a = au-dessus ; b = bas ; c = centre ;
d = droite ; g = gauche ; h = haut.

Anglo-Australian Observatory : 89 cda, 89 ca, 90-91 ; Royal Observatory, Édimbourg 91 hd ; Bruce Coleman Ltd : Keith Nels Swenson 73 hg ; Robert Dalby : 97 cda ; Galaxy Picture Library : Adrian Catterall 62 cb ; Alan Heath 46 cb ; Bob Garner 32 ca, 50 cgb, 54 bg, 58 bg ; Bob Mizon 85 cda ; Chris Livingstone 90 bc, 103 bc ; David Cortner 16 bc ; David Graham 42 bd, 42 cdb, 46 cda, 47 cga, 47 cg, 47 c, 47 cd, 55 bc, 55 cgb ; David Ratledge 111 hc, 122 cg ; Duncan Radbourne 67 bd, 86 bc ; Eric Hutton 36 c, 66-67 ; Gordon Garradd 8 cga, 11 ca, 100 bc, 101 cdb, 101 bc, 103 cda, 103 cg ; Howard Brown-Greaves 71 cdb, 79 cd, 91 bd, 106 bg, 109 cg ; Jim Henderson 118 bg ; John Gillett 110 cg, 112 cg, 113 bd ; JPL 51 cdb, 51 c ; Martin Mobberley 67 c ; Michael Maunder 11 cg, 71 bg, 75 cd ; Michael Stecker 5 cd, 5 hg, 36 bc, 37 bg, 69 c, 74-75, 76-77, 83 cda, 87 hc, 88 cga, 88 c, 88 bg, 89 bg, 93 cg, 93 hg, 97 hc, 104 cgb, 105 bd, 105 cda, 105 bg, 105 hg, 107 ca, 108 cda, 112 cd, 119 hc, 125 cda, 129 bd, 131 hc, 131 cb ; NASA 42 cgb, 78 hd ; Nik Szymanek and Ian King 92 bc, 111 cb, 113 cda ; Paul Stephens 65 hc ; Paul Sutherland 77 ca ; Robin Scagell 1 c, 5 cdb, 5 cda, 9 bd, 9 hd, 10 c, 12 bc, 12 bd, 12 bg, 13 cdb, 13 cd, 13 bd, 16 cd, 17 hg, 24 cb, 24 cda, 24 cdb, 25 hd, 25 cga, 27 cb, 27 cbg, 27 cb, 27 cgb, 27 cbd, 36 ca, 38 bd, 39 hd, 39 bg, 42 c, 42 cga, 43 bg, 46 cg, 46 cgb, 46 c, 47 hd, 50 c, 50 cga, 54 hd, 54 cga, 54 c, 58 c, 58 cg, 59 hd, 62 c, 62 bg, 62 cga, 63 cg, 63 bc, 63 cdb, 63 cda, 64 cga, 66 cd, 66 cg, 66 c, 71 hg, 75 bg, 79 hc, 79 hg, 79 hd, 79 bc, 82 cgb, 82 cg, 82-83 hc, 82 bg, 83 cd, 84 c, 84 bc, 84 hd, 84 cd, 85 cg, 85 c, 85 hc, 86 cdb, 86 ca, 86 hd, 87 bg, 87 bc, 88 bd, 92 hc, 96 bc, 97 cdb, 98 cd, 98 c, 99 hg, 99 bg, 99 bc, 100 cg, 101 hd, 102 cgb, 103 bg, 104 bc, 106 c, 107 cgb, 109 cd, 110 bc, 112 bc, 113 cg, 115 cd, 116 cd, 117 bd, 117 cg, 123 bc, 123 cd, 124 cdb, 125 cdb, 125 cga, 126 bg, 127 hd, 128 bg, 128 ca, 129 cg, 129 cd, 129 hd, 132 bg, 132 cb, 133 bg, 133 cga, 135 hc ; Stephen Fielding 122 bc ; Steve Smith 123 hc ; STScl 11 cdb ; Tatsuo Nakagawa 13 hd ; Y Hirose 17 cb, 70 cg, 93 cda, 111 cd ; Jim Henderson : 5 bd, 72, 73 cd, 73 cda, 73 cdb, 73 bd ; Jet Propulsion Laboratory : Dr Robert Leighton 50 cb ; Stuart A. Long : 68 cdb ; NASA : 5 hd, 10 hc, 10-11 cda, 11 hd, 32 c, 36 bd, 36 cg, 59 cd, 59 cb, 67 hd, 70-71, 127 cb, 131 cd ; JPL 10 cd, 55 hc ; Science Photo Library : David Nunuk 6-7 ; Frank Zullo 2-3, 80-81 ; John Foster 34-35 ; John Sanford 75 hd ; Pekka Parviainen 18-19 hc.